HENRI & CIE

Catalogage avant publication de Bibliothèque et Archives nationales du Québec et Bibliothèque et Archives Canada

Isabelle, Patrick, 1980-

Henri et cie

Sommaire : [1]. Opération Béatrice.
Pour les jeunes de 10 ans et plus.

ISBN 978-2-89591-289-7 (vol. 1)

I. Isabelle, Patrick, 1980- . Opération Béatrice. II. Titre. III. Titre : Henri et compagnie.

PS8617.S225H46 2016   jC843'.6   C2016-940902-3
PS9617.S225H46 2016

Illustration de la couverture : Amélie Côté
Conception graphique et mise en pages : Amélie Côté
Révision et correction : Bla bla rédaction

© 2016 Les éditions FouLire inc.
4339, rue des Bécassines
Québec (Québec) G1G 1V5
CANADA
Téléphone : 418 628-4029
Sans frais depuis l'Amérique du Nord : 1 877 628-4029
Télécopie : 418 628-4801
info@foulire.com

Les éditions FouLire reconnaissent l'aide financière du gouvernement du Canada pour leurs activités d'édition.

Elles remercient la Société de développement des entreprises culturelles du Québec (SODEC) pour son aide à l'édition et à la promotion.

Elles remercient également le Conseil des arts du Canada de l'aide accordée à leur programme de publication.

Gouvernement du Québec – Programme de crédit d'impôt pour l'édition de livres – gestion SODEC.

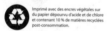

Imprimé avec des encres végétales sur du papier dépourvu d'acide et de chlore et contenant 10 % de matières recyclées post-consommation.

Canada

IMPRIMÉ AU CANADA/PRINTED IN CANADA

PATRICK ISABELLE

HENRI & CIE

opération Béatrice

Mon histoire

Je m'appelle Henri.

Mais ne te laisse pas berner par mon prénom, je ne viens pas d'ici. Ce que je m'apprête à te dire est ultrasecret. Défense d'en parler sous peine de mettre ma vie en danger. La tienne aussi. C'est une longue histoire.

Pour tout comprendre, il faut remonter loin derrière, à une époque où personne n'avait Internet… même les ordinateurs n'existaient pas. La guerre faisait rage partout, personne ne faisait confiance à personne. Les gens vivaient dans la peur, au son des avions et des bombardements. Les villes étaient si poussiéreuses que tout le monde paraissait en noir et blanc.

Ce soir-là, c'était la veille de Noël. Ma mère se produisait dans un cabaret bruyant et enfumé du centre-ville. Elle était très belle, ma mère, et très élégante, c'était le clou du spectacle. Les soldats en congé s'étaient entassés les uns contre les autres pour l'écouter chanter. Sa voix était comme un miracle pour eux. Ils ne comprenaient pas les paroles de ses chansons, mais ça leur faisait du bien de l'entendre.

En plein milieu de sa chanson, une horde de soldats ennemis firent irruption dans le cabaret, créant le chaos partout autour d'eux. Ma mère s'éclipsa rapidement dans sa loge et se mit à faire ses bagages à toute vitesse. Elle n'avait pas vu l'homme au chapeau qui se cachait derrière le paravent. Il sortit de sa cachette lentement, puis s'avança vers elle en silence. Elle tenta de crier, mais il avait déjà mis une main sur sa bouche en la tenant fermement de sa main libre. Elle essaya de se débattre, mais il était plus fort qu'elle.

— Du calme… C'est moi, murmura l'homme au chapeau.

Elle se retourna et lui tomba dans les bras, les yeux remplis de larmes.

— Oh! mon amour, je dois m'enfuir avant que les services secrets ne découvrent qui je suis réellement !

Il la saisit par les épaules.

— Non! Je les en empêcherai, tu m'entends? Ils devront me passer sur le corps.

Elle aurait voulu tout lui expliquer à ce moment-là, lui dire qu'elle était une espionne et que sa vie était en danger. Mais elle ne pouvait pas risquer la sienne aussi. Il devait être maintenu dans l'ignorance pour sa propre sécurité... ainsi que celle du petit.

Elle se dirigea vers la commode, où le tiroir du haut était resté ouvert. Là, emmitouflé dans une couverture de laine, dormait un petit bébé. Elle le prit, puis le déposa entre les mains de l'homme au chapeau.

— Prends mon enfant et cache-le, Georg. Emmène-le loin d'ici, où il sera en sécurité.

Autour de son cou, elle accrocha à sa chaîne un petit médaillon en forme de cadenas. Elle le verrouilla, puis glissa la clé sur une ficelle qu'elle attacha au poignet de l'enfant.

— Un jour, je le retrouverai. Et je le reconnaîtrai grâce à cette clé unique qui pourra déverrouiller ce médaillon.

Bang, bang, bang!

Elle souleva le tapis de la loge pour ouvrir une trappe qui était dissimulée dessous.

— Va, mon amour! File à toute vitesse! Et protège mon petit Henri. Je t'écrirai.

L'homme au chapeau cacha l'enfant dans son manteau et disparut aussitôt par la trappe. Il ne la revit plus jamais… mais la rumeur veut qu'elle soit toujours en vie, errant de ville en ville à la recherche de la clé qui ouvrira le cadenas qu'elle porte comme un boulet depuis si longtemps. C'est cette même clé que je porte sur moi.

Je quitte ma feuille mobile des yeux pour lancer un regard vers mes camarades de classe qui m'observent en silence. Ils ont tous l'air sous le choc de mon histoire, à part Élodie, Léo et F.-X. qui sont morts de rire derrière leurs cahiers.

Je souris, satisfait de l'effet que je viens d'avoir sur mes amis. Avec une réaction pareille, je suis mûr pour récolter une note parfaite! Mais lorsque je me retourne vers madame Mireille, elle ne semble pas de bonne humeur. Les bras croisés, elle me dévisage du haut de ses lunettes, l'air méchant.

— Henri, le sujet de l'exposé, c'était «Mon histoire», pas «Ma vie inventée»! Si tu veux bien, j'aimerais te parler après la cloche.

Je retourne à ma place, la tête basse. Je me suis encore mis dans le trouble!

Le problème, c'est que mon histoire est plate. En fait, elle est plus que plate: elle est inexistante. Je suis adopté, ça, c'est sûrement vrai. Je dis sûrement, parce que mes parents refusent de me le confirmer. Avec le temps, je m'en suis bien rendu compte. Mes parents ont beau dire tout ce qu'ils veulent, je ne suis pas dupe. Mes cheveux affreusement raides et noirs, mon teint foncé, mes yeux verts un peu bridés. Rien à voir avec les cheveux blonds et bouclés de ma mère ou le teint livide de mon père et les quelques cheveux roux qui lui restent.

J'ai beau questionner mes parents, exiger des réponses, rien à faire. Le mot *adoption* est tabou chez les Côté. «L'important, mon Pitt, c'est qu'on t'aime.»

J'ai dû entendre cette phrase-là au moins deux millions de fois. Ils refusent de me dire d'où je viens sous prétexte que je suis trop jeune et qu'ils m'expliqueront tout en temps et lieu. L'histoire de ma venue au monde est, semble-t-il, extraordinaire, et ils m'ont juré que le jour de mes 16 ans, ils me la raconteraient. En attendant, je n'ai pas le choix d'essayer de deviner. C'est pour ça aussi que je n'ai pas eu le choix de m'inventer une histoire quand madame Mireille nous a donné le sujet de notre exposé. Je ne connais rien de mon histoire.

OK. J'ai un peu menti. Je n'ai pas tout inventé. J'ai vraiment une clé dans mon cou... mais c'est celle de ma maison. Pour le reste, disons que je me suis inspiré vaguement d'un film que j'ai vu l'autre jour.

Les films, c'est toute ma vie. Mais pas les nouveaux films, là. Les vieux films. Ceux en noir et blanc dont personne ne se souvient. Ceux qui sont tellement vieux qu'il n'en existe même pas de traduction. As-tu déjà vu *La revanche de l'homme-fourmi*? Ou *L'invasion des intraterrestres*? Ou mon préféré: *La femme au chapeau bleu*? Moi, je les connais par cœur, même si je ne comprends pas la moitié de ce qu'ils disent. Et la beauté de la chose, c'est que la plupart sont disponibles gratuitement en ligne.

C'est mon prof d'anglais, monsieur John, qui m'a fait découvrir une tonne de sites où je peux les visionner à ma guise. Ça n'a pas amélioré mon anglais, mais je passe des journées de congé fabuleuses.

Élodie me dit tout le temps que je fais exprès d'aimer les choses bizarres parce que je ne veux pas accepter le fait que ma vie est ordinaire. Elle a un peu raison, mais je ne lui avouerai jamais ça! Elle serait trop contente. Mais c'est vrai que ma vie est plate. Pourtant, j'ai tout pour être le plus étrange de mon école! Mais il y a toujours quelqu'un ou quelque chose pour me faire de l'ombre.

Même mon prénom ne réussit pas à me différencier des autres. Parce que, évidemment, il fallait que je tombe dans la même classe que le seul autre Henri de mon école. Henri O'Neill. Argh! Tous les jours, tout le temps, les filles parlent de lui sans arrêt. Henri-ci, Henri-ça! C'est le genre de gars qui a juste besoin de respirer pour que tout le monde l'aime. Élodie dit qu'il vient assurément d'une autre planète. Il est trop parfait. Alors, le petit Henri Côté que je suis peut aller se rhabiller! Je n'ai aucune chance à côté de lui.

Il y a aussi Nabil qui est arrivé à notre école l'année passée, fraîchement débarqué du

Maroc. Il est super gentil, Nabil. Mais en matière d'exotisme, il me bat un peu trop facilement. Impossible de compétitionner avec son histoire à lui. Après tout, je ne connais même pas mon pays d'origine! Si ça se trouve, mes parents biologiques viennent d'un petit village en Estrie. Qu'est-ce que j'en sais?

Et puis, pour une raison qui m'échappe totalement, on dirait que je suis un aimant à personnes étranges. Au milieu de mon groupe d'amis, je suis sans doute le plus ordinaire.

Il y a François-Xavier, qui dépasse toute notre année d'au moins deux têtes. C'est un géant, F.-X.! D'ailleurs, il est toujours le premier choisi quand vient le temps de former les équipes en éducation physique. Juste parce qu'il est gigantesque!

Pourtant, même s'il est excellent, il déteste les sports. Son truc, ce sont les jeux vidéo. Il peut nommer de mémoire tous les objets cachés de tous les jeux auxquels il joue. Une machine. Ça en est même un peu fatigant à la longue. Il ne parle que de ça... quand il parle. F.-X. est un gars de peu de mots, comme dirait mon père. Et quand il parle, c'est avec sa grosse voix basse. Élodie dit tout le temps que son cerveau va finir par ramollir à force de passer du temps devant son écran. Lui, il dit qu'on ne peut pas comprendre.

Outre F.-X., il y a Léo. Tout le monde l'appelle Bébitte. C'est surtout parce qu'il en a l'air. C'est mon meilleur ami, je l'adore... mais on dirait qu'il sort constamment d'une boîte à surprise.

Premièrement, il y a ses cheveux. Une grosse touffe de cheveux frisés qui vont dans tous les sens, comme s'il venait de se prendre les doigts dans une prise électrique. Il a l'air d'un de ces danseurs de disco qu'on voit dans les films.

Deuxièmement, il réussit toujours à nous surprendre avec ses vêtements. Ils sont... comment dire ? Extravagants. Je sais que sa famille n'est pas la plus riche du quartier, et qu'il a quatre grandes sœurs, mais un chandail jaune soleil avec une licorne dessus ? Vraiment ? Lui, il assume complètement et je crois même qu'il s'amuse à pousser l'audace chaque matin. J'avoue qu'au début, j'ai hésité avant de me tenir avec lui. Mais Élodie l'a aimé dès qu'elle l'a vu. Elle lui a tout de suite dit: «T'es une drôle de bébitte, toi!» Le surnom est resté.

Je vais mettre les points sur les i: Élodie n'est pas ma blonde! Elle ne l'a jamais été et ne le sera jamais, malgré ce que ma mère peut dire. Élodie et moi, on est inséparables depuis notre première journée de maternelle. C'est une fille étrange qui parle beaucoup et qui pose toujours les questions les plus bizarres, la plupart du temps au moment où tu t'y attends le moins.

Le plus inusité, c'est qu'Élodie est un vrai garçon manqué. Depuis que je la connais, elle n'a jamais eu d'amie. Elle a toujours préféré la compagnie des garçons. C'est peut-être parce qu'elle a toujours aimé mieux le sport que les poupées. Je ne sais pas. Ce que je sais, c'est qu'elle excelle dans tous les sports qu'elle pratique. Quand elle ne joue pas au hockey, elle joue au tennis. Quand elle n'est pas en patin à roulettes, elle est sur sa planche.

Le plus impressionnant, c'est qu'elle fait tout ça avec un sens du style incroyable. Parce qu'elle a vraiment l'air d'une princesse. Je ne crois pas l'avoir déjà vue en pantalon, à part peut-être l'hiver lorsqu'elle fait du ski. Elle porte toujours des robes ou des jupes. Elle doit en avoir de toutes les couleurs. Et pour chaque couleur, elle a les accessoires assortis : des collants jusqu'aux boucles dans ses cheveux. Même les énormes lunettes qu'elle doit porter en permanence changent en fonction de sa tenue. Une force de la nature cachée sous des allures de petite fille modèle. Je ne m'en plains pas, c'est une amie hallucinante.

Tout ça pour dire que, même si je m'invente toutes les vies imaginables, je réussis toujours à passer inaperçu. C'est la malédiction qui pèse sur moi. Et vous n'avez pas encore rencontré ma famille !

J'entre dans l'autobus scolaire de justesse. Une minute de plus et il partait sans moi. Je me faufile jusqu'au fond et F.-X. se lève pour me laisser la place près de la fenêtre. Il se sent toujours moins coincé lorsqu'il est assis du côté de l'allée. Tant mieux, parce qu'il fait encore plus chaud dans l'autobus que dehors. On dirait que l'été ne veut pas s'en aller, cette année. Aussitôt, Léo, assis sur la banquette en face de nous, s'agenouille sur son banc pour pouvoir me parler par-dessus le dossier.

— C'était long! Qu'est-ce qu'elle t'a dit, madame Mireille?

Je hausse les épaules. Je me sens niaiseux.

— Elle veut que je lui écrive un autre texte.

— Franchement! Elle était super bonne, ton histoire! On s'en fiche que ça ne soit pas vrai!

F.-X. hoche la tête en signe d'approbation. Moi, j'ai le regard fixé sur l'extérieur et je me perds dans mes pensées pendant que Léo argumente tout seul sur les bienfaits de l'imagination et de la différence. Je n'ai absolument aucune idée de ce que je vais bien pouvoir écrire de meilleur. Ce n'est pas à défaut d'avoir essayé, mais j'ai toujours l'impression que la vie des autres est mieux que la mienne!

Madame Mireille aurait-elle vraiment préféré que je lui raconte comment je suis un enfant tout à fait ordinaire, qui a grandi dans une maison ordinaire, à faire des choses ordinaires? Me lever, aller à l'école, écouter la télé, lire des bandes dessinées, jouer avec mes amis, manger, dormir, me lever, aller à l'école... quel ennui!

Mon histoire, je ne la connaîtrai qu'à mes 16 ans. Je préférerais raconter celle des autres. Ce sont eux qui sont intéressants! Quelque part à l'intérieur de moi, j'aimerais avoir l'audace d'inventer une autre histoire pour ma prof, encore plus incroyable, juste pour voir son visage devenir violet, une fois de plus!

Je ris intérieurement quand Léo claque ses doigts devant mes yeux.

— Youhou, Henri, je te parle!

— Hein? Quoi?

— Demain, grosse vente chez F.-X. Viens-tu?

— Je ne peux pas, je...

Au moment où l'autobus tourne le coin de la rue, j'aperçois Élodie sur ses patins à roulettes. Elle ne prend jamais l'autobus avec nous.

Quand elle ne rentre pas en patin ou à vélo, c'est sa mère qui vient la chercher. Ce qui me surprend, c'est qu'elle n'est pas seule.

— C'est qui, la fille avec Élodie?

F.-X. et Léo s'élancent vers la fenêtre. Léo ouvre la fenêtre à toute vitesse et sort sa tête à l'extérieur en hurlant «COUCOU LES FILLES!», ce qui semble amuser la majorité des élèves dans l'autobus. Élodie nous salue de la main pendant que le chauffeur crie à Léo:

— Monsieur Bébitte, voulez-vous bien vous *assire* dans l'*étobus*!

Ça ne fait que quelques semaines que l'école est commencée et déjà, le chauffeur n'en peut plus de Léo. D'ailleurs, il s'est méfié de lui dès le premier matin, alors que mon ami lui a tendu la main en se présentant: «Bonjour, monsieur le chauffeur! Moi, c'est Bébitte et ça va me faire plaisir de prendre votre autobus tous les jours!» Pauvre monsieur. Depuis ce matin-là, il nous observe dans son gros miroir, les sourcils froncés, comme s'il attendait que Léo fasse quelque chose de survolté... et comme on parle ici de Bébitte, c'est arrivé souvent!

Léo se rassoit en riant.

— Oui, oui, monsieur le chauffeur! Je m'excuse!

Au même moment, mon regard croise celui de la fille rousse qui est avec Élodie. Je me sens rougir. J'ai l'impression que tout mon visage est en train de fondre, qu'une armée de singes miniatures me chatouille à l'intérieur du ventre. Il n'y a plus rien d'autre qui existe à part cette vérité absolue: c'est la plus belle fille que j'ai jamais vue de ma vie.

— Elle? C'est la nouvelle. Elle est arrivée aujourd'hui, me dit calmement F.-X., comme s'il parlait d'une chaise.

— Une nouvelle? En sixième?

— Oui, dans le groupe B.

Totalement désintéressé, F.-X. insère ses écouteurs dans ses oreilles, puis se met à jouer à son jeu vidéo sur sa plateforme de poche. Je reste là, la bouche ouverte comme un poisson surpris pendant que les deux filles disparaissent au loin. Léo se retourne de nouveau vers moi, un sourire en coin.

— Oublie ça, *dude*! Tu n'as aucune chance!

Je le dévisage.

— Pffft! Je n'ai jamais dit qu'elle m'intéressait! Mais si c'était le cas, je ne vois vraiment pas pourquoi je n'aurais aucune chance!

— Je l'ai vue ce midi à la cafétéria... Elle était avec O'Neill et sa gang, explique-t-il en désignant O'Neill, assis un peu plus loin dans l'autobus.

— Oui, et puis? Ça ne veut rien dire, ça!

Léo disparaît sur son siège en riant. Je me cale sur la banquette en posant mes genoux sur le dossier en avant de moi. Au fond de moi, je sais que je n'ai aucune chance contre l'autre Henri. La façon dont tombent ses cheveux sur son visage est plus intéressante que ma vie au grand complet. J'essaie de chasser la sensation inconnue qui m'a envahi quand mes yeux ont rencontré les siens.

Mais il n'y a rien à faire. La pire chose au monde vient de m'arriver : je suis amoureux... pour la première fois.

— Tu es laid.

— Tu pues.

— Hey! Vous deux, ça fera! nous réprimande ma mère de la cuisine.

— C'est elle qui a commencé!

— Bébé la la.

— Hey! crie encore maman de la pièce à côté.

— Quoi? C'est vrai!

— Quel exemple vous donnez à votre petite sœur?

Ma mère dépose un plat de pâtes fumantes sur la table, puis disparaît de nouveau dans la cuisine.

Tous les soirs, c'est la même chose. Les soupers, chez nous, ce n'est jamais tranquille. Quel calvaire d'avoir une grande sœur! Et quel malheur d'en avoir une petite. Je suis pris en sandwich entre l'aînée, Marika, et la benjamine, Alexandra. Ça porte à confusion! Selon mes parents, je suis trop jeune pour faire comme Marika, mais assez vieux pour donner l'exemple à Alex.

«Franchement!» s'écrie mon père en déposant ma composition sur la table, comme s'il n'avait pas été témoin de ce qui venait de se passer. «Moi, je la trouve super, ton histoire! Je vais lui dire deux mots à ta madame Machin!»

Ça, c'est mon père tout craché. Trop zen, trop ouvert d'esprit pour me réprimander. Il ne faut surtout pas qu'il parle à madame Mireille. Ça me mettrait encore dans l'embarras. Il est génial, mon père, mais il n'est pas comme les autres parents. Des fois, j'ai l'impression que c'est lui l'enfant et que nous sommes les adultes.

— Ça ne servira à rien, papa. Il faut quand même que j'en écrive une autre pour lundi.

— C'est une hérésie! Le système d'éducation essaie de te brimer créativement! Lysanne, dis quelque chose!

Ma mère arrive avec un panier de pain. Elle le tend à mon père en posant l'autre main sur mon épaule.

— Ton père a raison, Henri! Il y a plein de génie dans cette belle petite tête-là! Qui sait? Tu es peut-être un futur Ming Way!

Marika pouffe de rire.

— Ming Way? demande Alex.

— Oui, là. L'auteur, là...

— Hé-ming-way! dit ma sœur en se retenant pour ne pas rire. Ernest Hemingway!

Ma mère, qui ne s'aperçoit de rien, prend place à table pour se servir une portion de pâtes.

— Ernest *et* Ming Way? Je ne savais pas qu'ils étaient deux!

Mon père regarde ma mère, le sourire fendu jusqu'aux oreilles. Ma sœur n'en peut plus et se met à rire à gorge déployée, suivie par mon père, puis par moi. Ma mère, incrédule, lève les yeux vers nous.

— Quoi? Qu'est-ce que j'ai dit encore?

Mes parents sont deux drôles d'oiseaux.

Avant d'avoir des enfants, ma mère était une chanteuse populaire. Elle a même réussi à se hisser au top des palmarès avec une chanson ridicule intitulée «Coucou café». C'était il y a longtemps. Elle a tout laissé tomber quand Marika est arrivée. Parce qu'elle est adoptée, elle aussi. Et c'est la même chose pour elle: mes parents refusent de lui dévoiler ses origines jusqu'à son seizième anniversaire. Au moins, nous sommes certains d'une chose: elle est asiatique. On ne sait juste pas de quel pays elle vient! Je la taquine tout le temps avec ça. Chaque fois, ça la met en colère. Mais lorsqu'elle confronte mes parents, elle a droit aux mêmes réponses que moi: «Mais voyons, ma grande, ce n'est pas important de savoir ça. C'est nous, tes vrais parents. Quand tu seras plus vieille... »

Alexandra, elle, n'aura jamais ce problème-là. C'est une enfant de l'amour! Au moment où mes parents avaient perdu tout espoir de concevoir un bébé, Alex est apparue dans le ventre de ma mère. Depuis ce jour-là, quand Marika et moi parlons de notre petite sœur, nous faisons référence au « miracle ». Ça la fâche énormément de ne pas être adoptée, ce qui la rend bruyante, extravagante et en constante recherche d'attention... Une vraie petite sœur, quoi!

Après l'arrivée du miracle, maman a tenté de reprendre sa carrière, mais les temps avaient bien changé et elle n'est pas parvenue à se recycler au goût du jour, malgré un *remix* techno de « Coucou café ». Elle a donc décidé de se transformer en personnage et, avec l'aide de mon père, elle a jeté son dévolu sur la chanson pour tout-petits sous le pseudonyme de Madame Cacahuète.

Une horreur!

Mais le succès est apparu rapidement et elle parcourt désormais les écoles de la province pour chanter devant son jeune public.

C'est extrêmement lourd à porter d'être le fils de Madame Cacahuète. Combien de fois, à l'école, les autres ont-ils entonné «La chanson des petites mitaines» sur mon passage, juste pour rire de moi? Des tonnes!

Mon père, lui, est un poète.

Oui.

Un poète!

Il préfère le mot *artiste*. Selon lui, son corps est un transmetteur de beauté. Lorsqu'il n'est pas en train d'écrire sa poésie, il se consacre aux arts visuels.

L'été dernier, il a transformé le garage en atelier d'artiste. Il y passe des nuits entières à lancer de la peinture sur des toiles immenses ou à sculpter des formes étranges avec de l'argile. Parfois, en plein milieu de la nuit, il me réveille pour partager avec moi sa nouvelle création. Puis, sous l'impulsion du moment, ça lui inspire un poème. Je dois donc m'asseoir, à moitié endormi, et l'écouter déverser ses mots dans l'espace.

Le pire, c'est quand mes amis viennent à la maison et qu'il tient ABSOLUMENT à leur montrer ses nouveaux chefs-d'œuvre. Dans ces moments-là, je me demande toujours comment j'ai fait pour atterrir dans cette famille de fous !

Je prends une grande respiration, puis je me lance.

— Peut-être que si vous me racontiez comment vous m'avez adopté, je pourrais avoir une meilleure note...

Le silence qui tombe sur la salle à manger est si épais que je pourrais le trancher avec un couteau. Alex glisse tellement sur sa chaise qu'elle en disparaît presque sous la table. Marika me dévisage avec des yeux si exorbités qu'on dirait qu'ils vont exploser d'une minute à l'autre. Ce n'est jamais une bonne idée de larguer le mot qui commence par A à table.

Mon père se prend la tête entre les mains pendant que ma mère pose ses ustensiles lentement, au ralenti, de chaque côté de son assiette. Elle appuie ses coudes sur la table et croise ses mains devant son visage, comme si elle s'apprêtait à nous réciter une prière. Elle ferme les yeux d'un air solennel et lance le plus long soupir que j'ai jamais entendu.

— On ne va pas revenir là-dessus, Henri. Je croyais que tu avais compris, après notre discussion de l'autre fois, que nous pensons qu'il vaut mieux attendre encore quelques années, que nous voulons que tu vives une enfance normale, loin de tout ça! Le reste est sans importance pour l'instant. Ça me déçoit beaucoup de ta part. Combien de fois allons-nous être obligés de te dire que pour nous, tu es *notre* enfant? Ta sœur et toi, nous vous aimons inconditionnellement, ça va au-delà de la chair! Ça...

Sa voix se brise et elle ravale un sanglot avec beaucoup trop de conviction. Je connais ce truc-là. Lorsqu'elle veut éviter un sujet, ma mère a la fâcheuse habitude de se transformer en tragédienne. Le problème, c'est qu'elle n'est pas crédible du tout. Je jette un regard à Marika, qui lève les yeux au ciel avant de réattaquer son plat de pâtes.

— Marc-Antoine, dis quelque chose!

Mon père redresse la tête en sursautant. Pendant un moment, on dirait qu'il s'était endormi. Il regarde ma mère, puis moi, puis ma mère de nouveau. Comme s'il venait de comprendre, il fronce les sourcils.

— Tu vois ce qu'elle fait, ta madame Chose, avec ses demandes de textes ridicules? Elle cause de la bisbille dans notre famille! C'est honteux. Là, mon Henri, il va falloir que tu apprennes à mentir mieux! Invente au moins une histoire plus… réaliste!

Mentir mieux. Il est comme ça, mon père. Je suis sans doute le seul enfant au monde qu'on encourage à mieux déformer la réalité.

Je suis sauvé par la sonnerie du téléphone. Pendant que Marika se précipite sur le combiné, j'en profite pour me replonger dans mon repas en espérant que la discussion va se terminer là. J'ai encore manqué une bonne occasion de me taire.

— Henriiiiiiiiiiiiii! C'est pour toi.

Je regarde ma mère qui fait semblant de sécher ses larmes. Elle m'adresse un petit signe du revers de la main en guise d'approbation. Je me dirige vers la cuisine où se trouve le seul téléphone de la maison, une espèce de vieux truc à roulette qui doit dater de l'Antiquité. Ma sœur est accotée sur le comptoir, le combiné du téléphone serré contre elle.

— C'est ta petite blonde!

J'essaie de lui prendre le téléphone, mais elle recule.

— Marika, arrête de niaiser.

— «Est-ce que je peux parler à Henri, s'il vous plaît?» Ha! ha! ha!

— Mamaaaaaaaaaaaaaaaaaaan!

Avec un air exaspéré, elle soupire et m'enfonce le combiné dans le ventre.

— Franchement! Un vrai bébé!

J'attends qu'elle disparaisse avant de répondre. Tout ce qu'elle entend peut devenir une arme puissante entre ses mains. Je mets toutes les chances de mon côté et parle à voix basse dans le combiné.

— Allo?

— Henri? C'est Élodie.

— Salut, Élo.

— Pourquoi tu chuchotes?

— Je ne prends aucun risque.

— Tu es bizarre! Bébitte m'a dit pour madame Mireille. Tes parents n'ont pas trop sauté une coche?

— Tu connais mon père, il crie à l'injustice, comme d'habitude. Selon lui, je devrais apprendre à mieux mentir.

— Hi! hi! J'aimerais ça avoir tes parents, des fois!

— Je te les donne!

— Viens-tu à la vente de garage chez F.-X. demain? Tu pourrais peut-être obtenir un bon prix pour tes parents!

— Bonne idée! Mais ma mère insiste pour qu'on aille cueillir des pommes en famille. Elle dit que c'est pour notre bien!

— Oh. OK.

— Qu'est-ce qu'il y a?

— J'avais invité Béatrice, j'aurais voulu que tu sois là pour la rencontrer.

— Béatrice?

— Oui. La nouvelle.

Mon cœur fond. Le plancher s'ouvre sous mes pieds. Le plafond s'écroule. Tout tourne autour de moi. C'est la fin du monde. Béatrice... Elle a désormais un prénom. Je n'arrive pas à y croire. Pendant que je vais être prisonnier de ma famille, au milieu d'un verger grouillant de petits monstres et de familles enjouées, F.-X. et Léo vont passer l'après-midi avec Béatrice!

— Comment ça?

— Ma mère travaille avec sa mère et elle m'a fait promettre de bien l'intégrer. Et comme c'est hors de question qu'elle passe sa sixième année avec juste la gang à O'Neill comme amis, je pensais l'inclure dans notre groupe.

Tout à coup, je repense à ce que Léo m'a dit dans l'autobus, à son petit sourire en coin, plein de sous-entendus. «Oublie ça, *dude*! Tu n'as aucune chance!» Mon cœur arrête de battre. Je lance la première chose qui me vient en tête :

— Je ne crois pas que ce soit une bonne idée!

Silence.

— Je ne comprends pas. Pourquoi?

Je patine mentalement plus vite que tous les meilleurs joueurs de hockey. Mon cerveau vient de passer en mode «vitesse de la lumière». Je ne peux pas dire à Élodie que, lorsque j'ai vu la nouvelle pour la première fois, ma vie a changé, que je ne serai plus jamais le même et que, surtout, Léo s'en est aperçu. Léo, notre bébitte nationale et sa grande trappe! Des plans pour qu'il avoue tout à Béatrice en trouvant ça très drôle! De quoi j'aurais l'air?

Les paroles s'échappent sans que je les contrôle.

— Il me semble qu'on a assez d'une fille dans notre groupe!

Un autre silence. Plus intense celui-là. Maintenant, mon cœur bat tellement fort que j'ai l'impression qu'il va me sortir par la bouche. J'ai chaud. J'ai froid. Je suis très bon pour les histoires de films, mais je suis nul pour mentir. C'est comme si j'étais un super bon joueur de hockey et que je me retrouvais avec des patins de fantaisie pour filles dans les pieds.

— Ça veut dire quoi, ça?

— Bien... euh... je...

— Bonne fin de semaine, d'abord!

J'entends un clic au bout du fil. Elle m'a raccroché au nez! Oups.

Je reste figé sur place, le combiné du téléphone entre les mains. Décidément, j'ai un don pour me mettre dans le pétrin! Ça fait à peine 24 heures que je suis amoureux, et je ne suis vraiment pas sûr d'aimer ça.

36

Lundi matin. Pendant le trajet d'autobus qui nous mène à l'école, j'apprends avec soulagement que mes amis n'ont finalement pas eu l'occasion de rencontrer Béatrice en mon absence.

— Élodie n'est pas venue chez nous, samedi. En fait, elle ne nous a pas fait signe de la fin de semaine.

F.-X. annonce toujours les pires trucs comme si ça n'avait pas d'importance. Par moments, il me fait penser au monstre de Frankenstein. Il ne lui manque que deux vis qui lui sortent du cou… et un teint un peu plus blême. On descend de l'autobus l'un à la suite de l'autre. Je demande :

— Vous ne l'avez pas appelée ?

Léo sautille à côté de moi. Il fait toujours ça avant d'entrer en classe. «C'est pour dépenser un maximum d'énergie avant de devoir me concentrer, sinon je ne tiens pas en place derrière mon pupitre!» qu'il dit. Notre Bébitte est hyperactif. Mais sa mère refuse qu'il soit médicamenté. Alors, il contrôle son problème comme il peut.

— Pourquoi on l'aurait appelée? Elle avait sûrement une compétition de quelque chose. Elle passe sa vie dans des compétitions!

Je sautillerais comme Léo, moi aussi, si je n'avais pas peur d'avoir l'air fou. Pendant que nous attendons la cloche, nous nous trouvons un coin à l'ombre dans la cour d'école. Élodie n'est nulle part en vue. J'espère juste qu'elle n'est pas fâchée contre moi. Quand je suis nerveux, j'ai tendance à dire n'importe quoi. Depuis le temps qu'on se connaît, ça ne devrait plus la surprendre.

Pas la moindre trace de Béatrice non plus. Un instant, je me demande si je ne l'ai pas carrément imaginée. Je passe tellement de temps à m'inventer des vies que tout est possible. Puis, je repense à ses yeux, et mon estomac se remet à me chatouiller. C'est fatigant, l'amour! Je ne savais pas que ça pouvait être aussi physique.

La fin de semaine m'a semblé interminable.

Pendant que je cueillais des pommes à profusion, je ne cessais d'imaginer les pires scénarios possibles.

Je pouvais presque entendre Léo raconter à Élodie et à Béatrice comment j'étais devenu écarlate lorsque j'avais aperçu cette dernière. Je les voyais rire et s'amuser à mes dépens.

Au bout d'un moment, pour me changer les idées, Marika et moi avons joué à notre jeu préféré: devine d'où je viens.

À la fin de l'après-midi, nous avons conclu qu'elle venait du Cambodge et que moi, j'étais originaire du Pérou. Il y a des journées où je suis content qu'elle soit ma sœur. Mais ça ne dure jamais longtemps. Une fois de retour à la maison, son naturel revient au galop. Ça a l'air compliqué d'être une adolescente de 14 ans.

Samedi soir, j'aurais voulu appeler Léo pour prendre des nouvelles. Mais après les pommes, mes parents nous ont payé la traite au restaurant. Quand nous sommes revenus à la maison, il était trop tard pour téléphoner. Le dimanche, impossible de joindre mon ami. Sa mère les oblige, ses sœurs et lui, à aller à l'église. Ils passent ensuite leur journée à faire du bénévolat là-bas. Ça ne semble pas le déranger. «Tu viendras, à un moment donné. Tu vas voir, c'est vraiment le *fun*!»

F.-X., lui, était dans un vortex virtuel dont il ne pouvait sortir que pour aller aux toilettes. Il a refusé de répondre à mon appel. Et il était hors de question que je téléphone à Élodie. Je n'aurais pas su quoi lui demander... surtout après le fiasco de la veille.

J'ai donc passé mon dimanche à écouter des films sur l'ordinateur portable de ma sœur, comme un légume.

J'ai revu *L'espionne qui venait de l'Est* pour la centième fois. J'aime l'actrice qui joue l'espionne. On dirait que chaque fois qu'elle est devant la caméra, sa peau blanche rayonne. Elle surjoue, mais ils surjouent toujours dans ces films-là.

J'ai aussi regardé un film que je n'avais encore jamais vu, un truc pas très épeurant avec des morts-vivants et des filles qui crient tout le temps. J'ai beaucoup ri, mais avec tout ça, je n'avais toujours pas réécrit «mon histoire».

Après le souper, pendant que *L'attaque des abeilles de l'espace* jouait en fond sur l'écran, j'ai essayé d'aboutir avec une histoire honnête. J'ai réussi à composer les quelques lignes suivantes :

Je m'appelle Henri, je suis adopté et je suis né un 16 octobre. J'en saurai plus dans environ quatre ans et quelques semaines. J'ai deux sœurs, pas de frère et les parents les plus bizarres de la terre. Nous habitons dans la même maison depuis toujours et notre vie est tout à fait ordinaire. J'aime les vieux films en noir et blanc, les bandes dessinées et jouer aux cartes avec mes amis.

Madame Mireille devra s'en contenter.

Ce matin, quand je me suis levé, mon texte original avait été déposé sur la table. Mes parents devaient le signer à la demande de madame Mireille. Au haut de la page, mon père avait écrit ceci :

Chère Madame,

« Laissons le passé être le passé. » – Homère

Sincèrement,

Marc-Antoine Côté

Ça m'a rendu de bonne humeur. Il y a parfois des avantages à être entouré de gens bizarres. Ça ne satisfera sûrement pas madame Mireille, mais moi, je ne pouvais pas demander mieux.

Je regarde ma montre une millième fois. Jamais Élodie n'arrive aussi tard dans la cour d'école. Au moment où je lève les yeux, je vois l'autre Henri tourner le coin de l'école, accompagné de son cercle habituel d'admirateurs. Ils ont tellement l'air *cool* qu'on dirait qu'ils marchent au ralenti.

Parmi eux – je l'aurais reconnue à des kilomètres à la ronde – se trouve Béatrice, un peu en retrait. Elle discute avec une fille du groupe de sixième année B, Daphné qu'elle s'appelle. Je ne vois plus rien, sauf elle. La cour d'école a disparu, le temps est suspendu. Je vois juste sa chevelure rousse bercée par le vent. Elle replace une mèche de ses cheveux derrière son oreille en éclatant de rire. Son rire. C'est le plus beau son du monde.

Je sors de ma rêverie quand je réalise qu'ils sont tous arrêtés à côté de nous. La cloche va sonner d'une minute à l'autre. Henri O'Neill donne un coup de coude à un de ses amis et regarde en direction de Léo, qui est assis par terre avec F.-X., le dos accoté sur le mur de brique de l'école. Il est en plein solo de batterie imaginaire.

— Hey! La bébitte! C'est quoi, sur ton chandail? Un poney? Ha! ha! ha!

Ils se mettent tous à rire.

Léo lève la tête vers O'Neill, qui est très fier de son commentaire. Mais Léo ne semble pas le moins du monde affecté. Il regarde son gilet, puis hausse les épaules avant de se remettre à jouer de la batterie dans le vide. Le pire, c'est qu'il y a vraiment un poney rose sur son gilet. J'ai envie de répliquer quelque chose de méprisant à O'Neill moi aussi, pour défendre mon ami, mais j'en suis incapable. C'est comme si j'avais perdu la capacité de parler, de penser, de bouger. Je sens le regard de Béatrice se poser sur moi. Elle a l'air mal à l'aise. J'ouvre la bouche pour tenter de dire quelque chose, mais je vois F.-X. qui vient de se lever et qui se dirige vers O'Neill. Les rires et les murmures se taisent immédiatement. Il n'est pas violent, F.-X., mais il est imposant.

— Saluuuuuut!

Tout le monde sursaute. C'est Élodie qui vient d'apparaître sur son *skateboard*. Fidèle à elle-même, elle porte une robe qui s'harmonise à merveille avec son casque. Même la couleur de ses baskets rappelle celle de sa veste. C'est comme une apparition, comme la fée marraine de Cendrillon qui surgit à la dernière minute pour sauver la situation! O'Neill en profite pour s'éclipser rapidement, comme s'il avait eu peur d'elle.

— Voyons! J'ai dit quelque chose qu'il ne fallait pas?

Elle enlève son casque, puis va tout droit vers Béatrice. Elles se disent quelque chose. Je n'entends rien, mon cœur bat encore trop vite, ça remplit toute ma tête. Je les vois se diriger vers nous. Béatrice, la tête basse, me regarde timidement en me souriant.

— Béa, je te présente mes amis. Ça, c'est F.-X. et lui, la bébitte, c'est Léo dont je te parlais.

F.-X. la salue discrètement et Léo fait un signe bizarre avec ses doigts en lui criant: «*What's up!?!?*» Béatrice se met à rire. Je sens mes jambes flancher, j'ai peur de m'écrouler par terre. Je voudrais qu'elle n'arrête jamais de rire. C'est comme de la musique. Je me prépare. J'essaie d'essuyer la sueur qui vient d'envahir la paume de ma main sur mon jean. Ça y est. C'est le moment.

— Et lui, c'est Hen...

Ding dong ding dong, dong dong ding dong...

Je n'ai même pas le temps de lui tendre la main. Même pas le temps de lui dire que je m'appelle Henri et que je suis content de la rencontrer. Même pas le temps de lui sourire. Nous sommes aussitôt envahis par la cour tout entière qui cherche à se mettre en rang pour entrer dans l'école. Alors que je tente d'aller faire la file, mes pieds se prennent l'un dans l'autre et je tombe à la renverse, comme un sac de patates.

Je fais semblant de rien et, à travers les élèves qui nous séparent, je lui adresse un petit salut de la main. Je dois avoir l'air ridicule parce qu'elle se met à rire de nouveau. Elle me tend la main et m'aide à me relever.

— Salut, Henri ! Contente de te rencontrer.

Mon nom ! Elle a dit mon nom !

Je vais rejoindre mon groupe et je me faufile dans le rang entre F.-X. et Léo. Je me sens envahi par un immense bonheur, exactement comme la fois où j'ai osé embarquer dans les montagnes russes au parc d'attractions. Je n'arrive toujours pas à croire que je suis tombé à la renverse devant elle, mais ça ne me dérange pas. Elle a prononcé mon nom! Elle a pris ma main! Léo me tape sur l'épaule et me murmure à l'oreille:

— Elle a l'air *cool*, quand même, la nouvelle.

Je ne peux pas m'empêcher de sourire.

Toute la semaine, j'ai tenté d'aller parler à Béatrice. Sans succès. On dirait que le sort s'acharne sur moi! En fait, c'est surtout la timidité. Je ne savais pas que j'avais ça en moi. Je ne suis jamais gêné d'habitude. J'adore faire des présentations devant la classe. J'adore rencontrer du nouveau monde. Ma mère répète sans cesse que je suis la personne la plus sociable qu'elle connaît. Pourtant, quand vient le temps d'aller à la rencontre de Béatrice, mes jambes refusent d'avancer, ma gorge se noue.

Le pire dans tout ça, c'est que chaque fois que je l'ai croisée, dans les corridors ou dans la cour, elle m'a salué super gentiment: «Salut, Henri! Ça va?» Mais c'était toujours en passant, comme ça. Je crois qu'elle n'a même jamais entendu le son de ma voix!

Aujourd'hui, comme c'est la dernière journée de la semaine, je me suis dit que c'était maintenant ou jamais. Je ne passerai pas la fin de semaine à me morfondre et à m'inventer des scénarios dans ma tête. Mais ces choses-là, c'est toujours plus facile à se dire qu'à faire. Si seulement Béatrice était dans la même classe que moi, ça me simplifierait la vie. En plus, Élodie ne cesse de répéter que je m'entendrais bien avec elle. D'ailleurs, elle a passé presque toutes ses périodes de dîner avec elle. Je crois qu'elle est encore un peu fâchée de mon commentaire maladroit sur le nombre de filles admises dans notre groupe d'amis. Pourtant, je lui ai dit au début de la semaine :

— Je m'excuse, ce n'est pas ça que je voulais dire !

Elle a juste fermé les yeux à moitié en levant le menton et en faisant un petit «pffffft» avec sa bouche, comme si elle ne me croyait pas ou que je lui cachais quelque chose. Mais je la connais, Élo, elle ne boude jamais longtemps.

Normalement, j'aurais eu l'excuse parfaite pour aller lui parler. Après tout, je connais Élodie depuis que nous sommes minuscules.

Cependant, en l'espace d'une semaine, tout a changé. Soudainement, sans que j'y comprenne quoi que ce soit, Élodie s'est transformée en fille. Je l'ai toujours su, mais depuis que Béatrice est dans le décor, ça m'apparaît plus évident.

En fait, je réalise qu'il y a tout un monde de filles que j'ignorais complètement. J'avais toujours cru qu'Élodie était immunisée contre ça. De toute évidence, j'avais tort. Hier, à la cafétéria, j'ai pris mon courage à deux mains, j'ai repoussé mon assiette de pâté chinois, j'ai laissé F.-X. et Léo en plan, et je me suis dirigé vers la table à laquelle Élo et Béatrice étaient assises avec d'autres filles de notre année. Inutile de dire que ça a été un désastre.

J'avais tout prévu. J'allais aller demander à Élodie, avec toute la nonchalance dont j'étais capable, si elle voulait se joindre à F.-X., Léo et moi, vendredi après l'école. Nous avions décidé de nous rendre chez moi et de nous débarrasser de nos devoirs pour la fin de semaine. Nous faisons souvent ça, et mes parents sont toujours heureux quand j'invite des amis à la maison. La dernière fois, ils ont même été jusqu'à sortir la machine à karaoké et le tout s'est transformé en *party* impromptu. Mais ça, c'est une autre histoire.

Je suis arrivé devant leur table avec une attitude de champion. Le torse bombé, confiant, l'allure fière, comme si un costume de superhéros se cachait sous mon chandail. Puis, j'ai figé. Toutes les filles ont arrêté de parler en même temps et m'ont regardé avec attention. C'est très intimidant, une bande de filles qui te fixent sans rien dire. J'ai eu l'impression d'être devant une armée d'extraterrestres dotés de pouvoirs immobilisants. Au moment de parler, seuls des sons étranges sont sortis de ma bouche. Elles ont toutes ri, même Béatrice. Peut-être pensaient-elles que c'était un numéro, je ne sais pas trop.

Afin de retrouver mes esprits et surtout pour avoir l'air *cool*, j'ai voulu m'appuyer sur la table, mais ma main moite a glissé sur celle-ci! J'ai perdu l'équilibre et, tranquillement, comme au ralenti, mes pieds ont lâché. Dans ma chute, en essayant de m'agripper à quelque chose, j'ai accroché le plateau d'Élodie et tout le riz qui restait dans son assiette a fait un vol plané au-dessus de ma tête pour atterrir un peu partout autour de nous. J'ai regardé Élo, paniqué, et j'ai fini par prononcer une phrase complète en lui demandant si je pouvais lui parler seul à seule, quelques secondes.

— Mais qu'est-ce qui t'arrive? m'a-t-elle dit en riant.

— Je ne sais pas. Je m'excuse pour ton riz. Je ne comprends pas ce qui se passe avec moi... ça doit être le pâté chinois qui passe mal.

— Ha! ha! T'es bizarre.

— Demain, après l'école, on se fait un blitz de devoirs chez nous. Ça te tente?

— Wow! C'est le *fun*! Ça fait longtemps. Je vais demander à ma mère.

— ...

— C'est tout?

— Oui, oui.

Elle m'a donné un coup sur l'épaule avant de retourner à sa table de filles. Je suis resté là un petit moment, en tentant de comprendre ce qui venait de se passer, sous le regard accusateur de la madame de la cafétéria qui ramassait le riz par terre avec son balai. Quand je suis revenu à moi, j'ai vu Léo et F.-X., assis à notre table un peu plus loin, qui me regardaient en se tordant de rire.

— Oh! Henri, si tu avais vu ta face! Ha! ha! ha!

Léo ne voulait pas mal faire. Il dit toujours ce qui lui passe par la tête. Il a posé ses mains sur ses joues, puis a pris une petite voix pour déclarer:

— Ah! F.-X.! Je suis tellement fier de notre petit Henri, regarde-le! Il a fait ça comme un grand! Ha! ha! ha!

— On est fiers de toi, mon gars! Un vrai don Juan!

Je me suis assis à côté d'eux, découragé. J'ai pris une énorme bouchée du pâté chinois que j'avais abandonné plus tôt, avant de la recracher immédiatement. C'était rendu froid! Pendant que je m'étouffais, F.-X. m'a donné une tape dans le dos avec toute la force dont il est capable.

— Lâche pas, mon Henri !

Vaut mieux en rire, j'imagine.

Cet après-midi, à la récréation, je me dirigeais vers notre coin habituel. Il y a une sortie de secours qui n'est jamais utilisée et nous nous y retrouvons toujours. On y est un peu à l'écart et on peut s'installer tranquilles, à l'ombre. Les surveillants nous laissent faire, la plupart du temps, parce que nous ne sommes pas des élèves à problèmes... et parce qu'Élodie a l'heureuse manie d'argumenter avec eux sans s'arrêter lorsqu'ils nous demandent de changer de place. C'est surtout ça qu'ils préfèrent éviter, selon moi.

— Henri !

Je n'ai pas réalisé sur le coup que c'était *elle* qui m'appelait. C'est ce qui arrive quand il y a plus qu'un Henri dans la même école ! Et puis, j'étais perdu dans mes pensées, comme d'habitude. Après mes leçons de math, c'est toujours la même histoire. Je ne comprends rien aux nombres décimaux. J'ai beau essayer, je pense que j'aurais moins de difficultés à apprendre le mandarin !

— Youhou, monsieur Côté !

Je me suis retourné et elle était là, face à moi, essoufflée d'avoir couru, les cheveux roux en bataille, son *look* d'écolière de collège privé, son sourire parfait, comme dans une annonce de dentifrice.

— Tu marches vite ! Je te cours après depuis que tu es sorti de ta classe.

— Euh... oui... j'aime euh... j'aime ça marcher vite.

«J'aime ça marcher vite»? Je lui ai vraiment dit ça?

— OK. Hi ! hi ! Élo m'avait dit que tu étais un drôle, toi !

Élo lui a dit ça? Qu'est-ce qu'elle a bien pu lui dire d'autre sur moi?

— J'aurais juste besoin de ton numéro de téléphone et de ton adresse.

Hein ? Quoi ?

— Mon numéro de téléphone ?

— Oui. C'est pour le donner à ma mère.

— À ta mère ?

Je ne comprends plus rien !

— Oui. Ça ne lui dérange pas que j'aille faire mes devoirs chez vous, mais elle veut juste un numéro pour me joindre.

— …

— Et ton adresse pour venir me chercher !

— Tu viens faire tes devoirs chez nous ?

— Oui ! Élodie m'a dit que c'était correct !

Je veux disparaître… immédiatement !

— *Cool.*

Cool? Tout ce que je trouve à dire, c'est «cool»? Elle va me prendre pour un demeuré!

Je lui ai donné mon numéro de téléphone et mon adresse, qu'elle a notés en vitesse sur le dos de sa main.

— Merci, monsieur Côté!

Puis, elle est disparue aussi rapidement qu'elle est arrivée. Tout d'un coup, mille choses se sont mises à s'entrechoquer dans ma tête. La panique totale!

La panique qui s'est emparée de moi à la récré a continué de grossir tout le reste de la journée.

Dans l'autobus, je ne tenais plus en place. À côté de moi, même Léo avait l'air tranquille et serein !

Maintenant que je suis chez moi, je me précipite dans ma chambre à toute vitesse, comme si le feu venait de s'y allumer. Je me mets à tout ranger. Je prends les piles de vêtements sales, de vêtements propres, et je les enfonce dans mon placard. Tout ce qui traîne y passe. Je fais ça tellement vite que j'ai l'impression d'être une araignée avec huit bras. Léo et F.-X. me regardent du cadre de la porte. F.-X. mange une barre granola et m'observe comme si je lui offrais un spectacle. Léo, lui, ne comprend pas trop ce qui m'arrive. Pendant que je fais mon lit avec une rapidité record, il me lance :

— Voyons, Henri, on a déjà vu ta chambre en bordel !

Il ne peut pas comprendre. Ce n'est pas juste Béatrice qui s'en vient ici. C'est une fille ! Une vraie fille, qui pense en fille. Une vraie fille dont, il faut que je l'admette, je rêve depuis maintenant une semaine. L'amour, l'amour ! Qu'est-ce qui m'a pris de tomber amoureux ? C'est la pire chose qui me soit arrivée ! Pire que de ne pas savoir d'où je viens ! Pire que la fois où je suis arrivé à l'école en pyjama ! Pire que la fois où maman s'est mise à chanter « Coucou café » en plein milieu de la cour d'école, devant tout le monde, juste parce que madame Geneviève lui avait dit qu'elle était son admiratrice numéro un !

— Qu'est-ce qui se passe, morveux ? Est-ce que la télé s'en vient ici et je ne suis pas au courant ?

— Marika, ce n'est pas le temps, là !

Ma sœur s'assoit sur mon lit en faisant semblant d'ignorer mes deux amis. Elle adore se donner en spectacle devant eux, elle a alors l'impression d'être importante. Et ça fonctionne toujours. F.-X. dit tout le temps que Marika est la fille la plus *cool* qu'il connaît. «C'est parce que tu la connais pas *vraiment*!» que je lui réponds, chaque fois.

— Tasse-toi! Tu vas tout défaire!

— *Oh my Gooood!* Les nerfs, le frère, c'est juste un lit!

— Rends-moi service, veux-tu? Disparais!

Elle lève le nez sur moi et sort de ma chambre avec un air faussement insulté. Elle ne s'en souviendra plus demain... J'espère.

J'examine ma chambre pour être certain qu'elle est correcte. Une fois persuadé que n'y règne plus le fouillis habituel, je tasse F.-X. et Léo, qui m'observent toujours avec curiosité, et je me précipite en haut, dans la cuisine. Je prends le balai et le dépose entre les mains de F.-X. en lui demandant de se rendre utile. Je nettoie le comptoir comme si ma vie en dépendait.

— Henri, je pense que ça ne la dérangera pas beaucoup, Béatrice, s'il y a de la vaisselle sale sur le comptoir de ta cuisine.

Je m'immobilise, sur le bord d'exploser de nervosité. Je réalise sur le coup que je dois avoir l'air d'un fou furieux.

— Ça n'a pas rapport! C'est juste que... euh... c'est juste que j'avais dit à ma mère que j'allais le faire, puis... eh bien... euh... je ne l'ai pas fait.

Il n'a pas l'air de me croire, mais je n'ai pas le temps de chercher une meilleure excuse. Il se dirige vers la radio qui se trouve sur le buffet et l'allume. En entendant la chanson qui joue, Léo monte le son en hurlant de plaisir et se joint à la mission Ménage en dansant. On ressemble aux petites souris dans Cendrillon. Au rythme de la musique, on chante à l'unisson en bougeant la tête. Léo m'apporte les tasses et les assiettes du matin, qui étaient restées sur la table de la salle à manger, et je m'empresse de fourrer le tout dans le lave-vaisselle. F.-X. finit le balayage en effectuant les pires mouvements de danse de l'histoire de l'humanité. Si

Béatrice ne menaçait pas d'arriver d'une minute à l'autre, je trouverais ça très drôle.

Je suis nerveux.

C'est ridicule !

Mon père fait irruption dans la cuisine.

— Wow ! C'est le *party*, ici !

Il se met à danser maladroitement, comme lui seul en est capable. F.-X. et Léo se tordent de rire. Moi, j'essuie la dernière poêle propre et je la range à sa place dans l'armoire. Au même moment, ma petite sœur, Alex, arrive en criant que c'est sa chanson préférée qui vient de commencer. Un truc de *boy band* qu'elle écoute à répétition depuis des mois. Mais c'est vrai qu'elle est bonne, cette chanson-là. Elle se joint au trio pendant que je remplis un énorme pichet d'eau glacée. Personne ne me porte la moindre attention.

Heureusement, j'ai réussi à rendre la cuisine présentable. Habituellement, ça ne me dérange vraiment pas. Je connais Élodie, F.-X. et Léo depuis assez longtemps, ils ont déjà vu ma maison dans un bien pire état. Mais cette fois, c'est différent. Je n'ai pas envie que Béatrice pense que nous ne sommes pas une famille normale, dans une maison normale. En fait, je n'ai jamais eu aussi envie d'être normal! Je suis persuadé que la maison d'Henri O'Neill, elle, est toujours impeccable et que les planchers brillent tellement qu'on peut s'y admirer comme dans un miroir!

J'agrippe la pile de grands verres d'une main, le pichet de l'autre, puis je me faufile entre les danseurs en direction de la salle à manger où j'ai prévu de nous installer, parce que ma chambre a beau être confortable, à cinq, on y serait coincés.

J'aboutis enfin dans la pièce sans avoir renversé une goutte d'eau et je tombe face à face avec Élodie et Béatrice. Je fige. Je cligne des yeux deux, trois fois, pour être bien sûr que je ne suis pas en train d'halluciner. Non. C'est bien elles.

— Salut! On a sonné, mais personne ne répondait... puis on a entendu la musique, alors on est entrées. Ça va?

J'ai chaud, mes cheveux vont dans tous les sens, mon gilet est trempé d'eau de vaisselle et je suis pas mal certain qu'un restant de mousse gît toujours au milieu de mon front. Je dépose les verres et le pichet sur la table, nerveusement. Je suis soudainement conscient que, malgré la propreté de la maison, moi, j'ai l'air sorti d'une boîte à surprise.

— Oui, oui, ça va! Déposez vos affaires là, F.-X. et Léo sont dans la cuisine.

La scène est digne d'un vidéoclip. Ils sont toujours en train de danser comme si demain n'existait pas. Léo et F.-X. ont inventé une chorégraphie qu'ils s'amusent à répéter en riant. Mon père fait tourner ma petite sœur avec une main et multiplie les gestes bizarres avec l'autre. Et Marika s'est désormais jointe au groupe et danse avec conviction, comme ses chanteuses favorites le feraient. Avec une cuillère dans la main en guise de micro, elle chante à tue-tête par-dessus la chanson.

Du coin de l'œil, je vois Béatrice qui regarde le spectacle timidement en riant et Élo qui se met à bouger la tête, le sourire qui s'étire jusqu'à ses oreilles.

Je m'élance sur la radio avant qu'Élodie n'embarque dans la danse. De quoi j'ai l'air? Je coupe le son sous les protestations du groupe qui se met à me lancer des «boo!», des «hey!» et des «aaaaah!» en même temps.

— Désolé, mais on a des devoirs à faire.

Mon père, qui n'a toujours pas arrêté de danser, me dit:

— Tu es donc bien plate, mon gars! On avait du *fun*, là! C'est vendredi! Tu feras tes devoirs plus tard!

Je lui indique des yeux les filles qui regardent encore tout le monde avec un plaisir évident. Réalisant qu'ils viennent de se faire prendre en flagrant délit, F.-X. et Léo se raidissent en replaçant leurs vêtements. Alex est déjà passée à autre chose et s'est enfoncé la tête dans le garde-manger. Avant de disparaître dans le corridor, Marika se faufile à côté de moi pour me chuchoter: «Tout s'explique.»

— Ah! Bonjour, les filles! Élodie, c'est toujours un plaisir! Et toi, tu dois être Béatrice, j'ai parlé avec ta mère, tout à l'heure. Charmante!

Absolument charmante! Elle fait dire qu'elle passera te chercher à 18 heures.

Il serre la main de Béatrice avec beaucoup trop d'intensité. Elle a l'air à la fois amusée et surprise. Voilà, c'est fait. Elle a rencontré mon père. J'ai envie de me fondre dans la tapisserie!

Nous nous installons à table avec nos piles de cahiers et nos étuis à crayons. F.-X. branche son lecteur dans la radio pour mettre de la musique en sourdine. Le malaise se dissipe un peu. Tout le monde a l'air de bonne humeur. Je m'assois complètement à l'opposé de Béatrice. Être près d'elle, ça me rend trop bizarre et j'ai peur de ne pas pouvoir me concentrer. Ça me permet aussi de jeter discrètement des coups d'œil dans sa direction. Je n'arrive toujours pas à croire qu'elle est là, dans ma maison, comme si c'était tout à fait normal.

Élodie finit tout le temps ses devoirs avant tout le monde. Je ne sais pas comment elle fait pour trouver tout aussi facile. Je suis capable de relire aisément la même question des dizaines de fois sans la comprendre. Habituellement, je lui demande de l'aide, mais aujourd'hui, je n'ose pas. De quoi j'aurais l'air? Alors, je continue de fixer ma feuille en mâchouillant mon crayon et en faisant semblant de réfléchir.

Élo compare ses réponses avec celles de F.-X. en lui expliquant où il s'est trompé. Léo, lui, travaille sur notre devoir d'anglais sur le bout de sa chaise. D'ici quelques minutes, il ne sera plus capable de tenir en place et il devra faire le tour de la cuisine deux ou trois fois pour se changer les idées. J'observe Béatrice qui semble plongée dans ses devoirs. Elle lève les yeux vers moi et immédiatement, je feins de me concentrer sur mon travail. Mon cœur bat vite.

Ma mère arrive avec fracas. Elle dépose tous ses sacs et nous regarde joyeusement. Je sens mon visage virer au rouge, puis au bleu, puis au violet. Je dois avoir l'air d'un gros raisin. Elle est toujours dans son costume de Madame Cacahuète, maquillage y compris.

— Salut! salut! salut! Comment ça va, les petits génies? Vous êtes pas mal trop tranquilles à mon goût!

Mes amis saluent ma mère poliment. Élo, F.-X. et Léo sont habitués de voir ma mère dans son personnage, mais je remarque que Béatrice la fixe avec des yeux gros comme des balles de ping-pong. De toute évidence, personne ne lui avait dit qui était ma mère. Celle-ci s'approche derrière moi et m'entoure de ses bras.

— Allo, mon bébé! Qu'est-ce que tu fais? Oh! des mathématiques. Pauvre toi! Je n'ai tellement jamais rien compris à l'arythmie!

— On dit l'arithmétique, maman.

— C'est ça que j'ai dit! Bon, je vais aller préparer le souper, moi!

Ma mère disparaît dans la cuisine, armée de ses sacs. Tout le monde continue ses devoirs comme si elle n'avait jamais été là, sauf Béatrice qui se penche vers moi. Elle chuchote:

— Ta mère, c'est Madame Cacahuète?

— Ouais, que je lui réponds, gêné, presque honteux.

— Wow! Mon petit frère va capoter quand je vais lui dire ça! Depuis qu'il est tout petit qu'il l'adore ! Je connais toutes ses chansons par cœur !

Elle est impressionnée. Un sourire en coin, elle retourne à son devoir. Je ne peux pas m'empêcher de la regarder. Elle est tellement belle. Avoir su que ma mère pouvait me faire gagner des points, je m'en serais vanté bien avant, moi qui ai toujours pensé le contraire ! Mentalement, je prends cette carte et je la range dans ma poche. Je pourrai peut-être la jouer à mon avantage plus tard.

Une fois ses devoirs terminés, Léo nous fausse compagnie. Il refuse de nous dire pourquoi, mais moi, je sais que sa mère a des règles strictes à propos des heures auxquelles il doit rentrer.

Pendant qu'Élodie aide F.-X. à finir son devoir de français, je fais visiter la maison à Béatrice. Du moins, les endroits qui en valent la peine, ce qui exclut les chambres de mes sœurs et la salle de lavage. Je ne pense pas qu'elle ait envie d'explorer ces pièces, de toute façon, et je me vois mal lui présenter notre ensemble de laveuse-sécheuse.

Je passe le salon rapidement, surtout parce que Marika y est installée et qu'elle me dévisage avec son air de «Je sais quelque chose sur toi que je peux utiliser contre toi!». Je lui montre le garage/studio de mon père qu'elle trouve fascinant, puis le grand bureau où ma mère dispose fièrement ses trophées et son Disque d'or.

— Je n'en reviens pas encore... ta mère! Ta famille est vraiment... euh... Je ne m'attendais pas à ça.

— Tu t'attendais à quoi?

— Je ne sais pas... je pensais que... bien... qu'elle serait différente. Étant donné que tu es... euh... que tu...

Son malaise et son hésitation me font rire. Chaque fois que j'invite un nouvel ami chez moi, c'est la même histoire. Je précise pour elle:

— Je suis adopté.

— Ha! ha! Je m'en rends bien compte, là!

Elle devait s'attendre à atterrir dans une famille exotique avec des parents qui parlent avec un accent étranger. C'est dans ces moments-là que je réalise que ce n'est pas écrit sur mon front que je suis adopté. Pourtant, avec un nom comme Henri Côté, elle aurait dû s'en douter. Je ne peux pas lui en vouloir et je prends sa surprise comme une bonne chose, même si je sais que ma famille est bizarre. Je ne suis peut-être pas si ordinaire finalement...

Nous descendons au sous-sol, où se trouve ma chambre. Je ferme la porte derrière nous. Pas complètement, pour ne pas éveiller le moindre soupçon chez mes parents, mais assez pour avoir une certaine intimité. Je retiens mon souffle. Je ne me suis jamais retrouvé seul avec une fille avant, à part Élodie... mais elle ne compte pas.

Je regarde Béatrice faire le tour de ma chambre, porter une attention particulière à tous mes bibelots, mes objets, ma collection de bandes dessinées. J'ai l'impression de subir une sorte de test. Je ne sais pas trop où me mettre, comment agir. Elle s'arrête devant l'immense affiche qui se trouve au-dessus de mon lit. Je me rapproche d'elle. Assez proche pour sentir son odeur envahir toutes les particules de mon corps.

— *La créature du marais?*

— Ouais... c'est un de mes films préférés.

— Ce n'est pas, genre, un vieux film en noir et blanc?

— C'est les meilleurs! En tout cas, selon moi.

Elle se retourne vers moi. Elle est tout près. Ça y est! On va se regarder dans les yeux, puis elle va s'avancer tranquillement vers moi. Je me sens devenir tout mou, comme du Jell-O qui ne serait pas tout à fait fixé. Mon cœur bat tellement vite, je suis certain que je pourrais battre le record du cœur qui bat le plus rapidement du monde. Je suis à quelques secondes près de vivre mon premier baiser.

— Qu'est-ce que vous faites?

La porte s'ouvre, puis F.-X. et Élodie font irruption dans ma chambre. Béatrice recule d'un pas et moi, sous le coup de la surprise, je tombe à la renverse sur mon lit en criant. Ils se mettent à rire le temps que je réalise ce qui vient de se passer, puis je ris avec eux, plus par nervosité que par amusement. Ils ont tout gâché!

Ça sonne à la porte. C'est la mère de Béatrice qui passe chercher les filles. Mon père nous a devancés, je peux l'entendre discuter avec la mère de Béa. Heureusement, on monte juste à temps pour éviter qu'il se mette à réciter un poème ou qu'il fasse quelque chose d'embarrassant. C'est son genre. Surtout quand il rencontre quelqu'un pour la première fois. Il croit que tout le monde aime la poésie, mon père, et que c'est son devoir de propager la beauté du langage! N'importe quoi!

Élodie et Béatrice courent chercher leurs sacs d'école et avant que j'aille le temps de dire quoi que ce soit, elles embarquent dans la voiture. Accoté sur le cadre de la porte, je les salue de la main en adoptant l'air le plus *cool* et le plus adulte que je connais. Je ferme la porte et je vois F.-X. qui me regarde avec un grand sourire.

— Quoi?

— Rien.

— Pourquoi tu me regardes comme ça, d'abord?

— Je fais juste sourire.

Ma mère insiste pour que F.-X. reste souper avec nous. Il accepte volontiers. L'odeur de la lasagne de ma mère qui traîne partout dans la maison ferait saliver n'importe qui. Je suis content de pouvoir passer la soirée avec mon ami, même s'il vient de me coûter, peut-être, ma seule et unique chance d'être embrassé par la plus belle fille du monde.

Après avoir trop mangé, on s'enferme dans ma chambre avec deux énormes tasses de chocolat chaud et l'ordinateur portable de mon père. On s'installe par terre avec tous les coussins, oreillers et couvertures que je suis capable de trouver dans la maison. J'ai décidé de poursuivre l'éducation cinématographique de F.-X. Il est bien le seul à savoir apprécier mes goûts en matière de films. Élodie ou Léo auraient soupiré en réclamant quelque chose de plus récent. «Ils sont poches, tes films, Henri!» dit tout le temps Élo. Elle ne peut pas comprendre. F.-X., lui, trouve ça aussi drôle que moi, surtout quand les traductions sont encore plus mauvaises que les effets spéciaux.

On passe au travers de *La fiancée de Frankenstein* comme deux patates évachées parmi les coussins. Une fois de temps en temps, je regarde F.-X. pour être sûr qu'il ne s'est pas endormi. Mais il écoute le film avec intérêt.

De temps à autre, il lance des commentaires hilarants sur les acteurs ou sur les maquillages pas très réussis. Une fois que l'écran tourne au noir, on reste là, sans rien dire, en fixant l'ordinateur devant nous. J'ai le goût de lui poser des questions, de savoir s'il est déjà tombé amoureux, lui aussi. Je me demande ce qu'il pense de Béatrice, pour vrai. Si, selon lui, j'ai des chances avec elle... mais je suis incapable de dire quelque chose. J'ai trop peur qu'il rie de moi.

Au bout d'un moment, il se lève et m'annonce qu'il ferait mieux de rentrer. Je l'accompagne jusqu'à l'extérieur. Je m'assois dans les marches devant la maison.

— Viens chez nous, demain, si tu veux. Je me suis acheté un nouveau jeu et on peut le mettre en mode multijoueur.

— OK. Je t'appelle demain.

Nous effectuons notre poignée de main habituelle, répétée des millions de fois l'an passé : poing dessus, poing dessous, pif, paf et explosion ! Puis, je le regarde partir et je reste là un moment à contempler les étoiles qui commencent à se pointer le bout du nez dans le ciel. L'air est encore chaud, mais il y a un petit vent frais agréable qui m'empêche de rentrer tout de suite. Une fenêtre s'ouvre et je vois la tête de mon père apparaître.

— Henri ! Qu'est-ce que tu fais là ?

— Rien. Je pense.

— Ne pense pas trop, tu pourrais te fouler le cerveau ! Je suis en train de faire mes fameux *banana split* pour tout le monde ! En veux-tu ?

Je saute sur mes pieds en une demi-seconde. Je ne peux pas résister à ça, quand même ! Au moment où j'ouvre la porte, je la vois :

l'enveloppe. Elle a été collée là avec un ruban. Il n'y a pas de nom dessus, juste deux mots avec un petit cœur à côté: *À toi*. Je l'arrache rapidement, comme si j'avais peur que quelqu'un d'autre la voie et je l'enfonce dans ma poche de pantalon.

— Je ne comprends vraiment pas ce qu'il y a de si drôle!

F.-X. et moi regardons Léo une nouvelle fois et nous nous remettons à rire à pleins poumons. Impossible de faire autrement. En le voyant arriver, F.-X. en est tombé de sa balançoire, à quatre pattes dans le sable. Pendant au moins deux longues minutes, il a ri jusqu'aux larmes en pointant notre ami, incapable de dire autre chose que «*Dude! Dude!!!*».

Léo est resté planté là, les bras croisés, avec son t-shirt de Fraisinette, son short orange trop grand, ses bottes d'armée défraîchies... et ses cheveux! L'immense afro de notre ami arbore désormais comme un arc-en-ciel de couleurs. Tout le devant a été teint en bleu.

Tout son côté droit est maintenant d'une espèce de rouge tirant sur le rose foncé tandis
que le gauche est jaune moutarde. Des mèches
vertes se dressent ici et là sur le dessus de sa
tête et tous ses cheveux derrière sont orange
fluo. Il a l'air ridicule!

— OK. OK. Arrêtez de rire, là!

— Mais qu'est-ce que tu as fait à tes cheveux?
que je réussis à lui demander entre deux éclats
de rire.

— C'est mes sœurs! Bianca a commencé
à apprendre les teintures dans son cours de
styliste… et en échange de deux semaines de
vaisselle, je l'ai laissée se pratiquer sur moi
avec Tiff.

— Tu n'aurais peut-être pas dû!

— *Dude*! Ha! ha! ha! *Duuuuuude*!

— OK! Si vous n'arrêtez pas, je m'en vais!

— On arrête, on arrête!

Je réussis à me contenir, beaucoup plus facilement que F.-X. Nous quittons les balançoires pour une des tables à pique-nique situées sous les arbres, à l'autre bout du parc. Il n'y a presque plus personne à cette heure, mais tous ceux qui s'y trouvent encore fixent Léo d'un air ahuri. Il ne semble même pas s'en rendre compte. Au loin, j'entends une petite fille crier à sa mère: «Regarde, maman! Un clown!» Je jette un œil à F.-X., qui l'a aussi entendue, et nous éclatons de rire de nouveau. Léo se renfrogne en maugréant quelque chose que nous n'arrivons pas à saisir. Je m'approche de lui et le tape dans le dos.

— Ne fais pas cette tête-là! Avoue que c'est quand même drôle!

— Drôle? Je suis pris avec ça pendant une semaine! Ce que Bianca ne m'avait pas dit, c'est qu'elle ne pouvait pas me les reteindre en noir tout de suite parce que la teinture ne prendra pas avec tout le décolorant qu'elle a mis dedans! De quoi je vais avoir l'air à l'école lundi, moi?

F.-X., sans aucun tact, répond:

— Bébitte le clown!

Malgré tous les efforts qu'il fait, nous voyons un sourire se dessiner sur les lèvres de Léo et il se met à rire lui aussi. Nous nous installons à une table et je sors le gros contenant de jus que j'ai apporté dans mon sac avec des verres en plastique. F.-X. se précipite pour se servir, comme s'il n'avait jamais bu de sa vie.

— Tu penses toujours à tout, Henri!

— Bon, qu'est-ce qui est si important pour que tu nous convoques au parc?

Le parc. Avant que mes parents rénovent la maison et que je me retrouve avec ma chambre à moi tout seul au sous-sol, avant que les parents de F.-X. se séparent, le parc était notre quartier général. Nous ne nous sentions à l'aise nulle part ailleurs. Chez F.-X., nous n'osions plus y aller depuis la fois où ses parents s'étaient disputés assez intensément devant nous. Chez Élo, nous nous sentions sous surveillance constante. Chez Léo, il y avait toujours trop de monde et, disons-le franchement, nous avons toujours eu un peu peur de sa mère... une grosse madame qui crie des choses en créole que nous ne comprenons pas. Elle est drôle, mais aussi étrange que son fils. Et quatre sœurs?!?! C'est beaucoup trop! Nous avions donc pris l'habitude de venir nous réfugier ici. Nous avons passé des journées entières à ne rien faire dans les estrades du terrain de baseball ou dans les modules de jeu. Et quand il pleuvait, nous nous retrouvions sous l'énorme pavillon au centre du parc.

Ça doit bien faire un an que nous ne sommes pas venus ici. J'aurais préféré le confort de la maison de F.-X., mais il est chez son père pour la fin de semaine et celui-ci vit dans un minuscule appartement. Chez moi, c'était hors de question... trop d'oreilles indiscrètes. Ce matin, après y avoir longuement réfléchi, j'ai envoyé un message à F.-X. et Léo : *Rendez-vous aux balançoires à 14 heures. Pas un mot à Élo.*

Je marque un arrêt dramatique en regardant intensément mes amis.

— Arrête de faire ta lady Mystère et accouche!

Je sors l'enveloppe de mon sac. Elle est déjà toute fripée à force que je la lise et la relise. Je la pose discrètement sur la table, comme si c'était un document ultrasecret du ministère de la Défense. Léo la saisit immédiatement, en retire la lettre. Elle a été écrite à la main sur une feuille blanche avec un crayon à l'encre mauve. Une écriture soignée, en lettres attachées. Léo se met à lire à voix haute :

M. Côté,

Depuis l'autre jour, à l'école, je n'arrête plus de penser à toi. Chaque fois qu'on se parle, j'ai l'impression que le monde cesse de tourner. Mais je n'ose pas faire les premiers pas, de peur que tu me rejettes. Pourtant, j'ai l'impression que nous sommes faits l'un pour l'autre.
Tu es la personne la plus spéciale que je connais. Est-ce que ton cœur brûle aussi pour moi ? M'aimes-tu autant que je t'aime ? Il fallait que je te le dise, même si nous deux, c'est peut-être impossible… Je t'aime.

Léo retourne la feuille, cherchant quelque chose qui n'existe pas. Le verso est blanc.

— C'est tout ? Ça finit comme ça ? Même pas une signature ? Rien ?

Je secoue la tête, découragé. F.-X. arrache la lettre des mains de Léo et l'observe attentivement.

— Je l'ai trouvée collée sur la porte de ma maison après votre départ hier.

— Bizarre… murmure F.-X. en sentant la lettre.

— C'est malaaaaade! Ça vient de qui, tu penses?

— Je ne sais pas.

Léo et F.-X. se regardent et disent en chœur:

— Béatrice!

— Pffffft! Franchement, les gars!

Mon visage s'empourpre sous le regard amusé de mes deux camarades. Au fond de moi, depuis hier soir, je me demande aussi si Béa n'aurait pas collé discrètement cette enveloppe sur ma porte avant de partir ou pendant que j'écoutais le film avec F.-X. Chaque fois, je sens les picotements démoniaques de l'amour envahir mon bas-ventre. Je repense à son odeur dans ma chambre, à nos deux visages si proches l'un de l'autre… Non, c'est impossible!

Et puis, je n'ai pas envie d'être amoureux! De quoi j'aurais l'air devant les autres? Jusqu'à maintenant, aucun d'entre nous n'a joué à ce jeu-là. Ça changerait tout. Bon, Léo s'entête à draguer toutes les filles de l'école, mais ça ne compte pas. C'est Bébitte! Ça fait partie de sa personnalité. Et de toute façon, aucune fille ne lui a rendu la pareille.

— Quoi? Qui veux-tu que ce soit d'autre?

— Je ne sais pas!

— Élodie? s'essaie F.-X.

— Jamais de la vie! On se connaît depuis trop longtemps.

— N'empêche, ça expliquerait bien des affaires, lance Léo.

— Comme quoi?

— Tu ne la trouves pas bizarre, toi, depuis quelque temps?

— Bizarre comment?

— Secrète, genre. Elle n'arrête pas de se tenir à la table des filles.

— C'est normal, c'est une fille, rétorque F.-X.

— Ce n'est pas une fille, c'est Élo!

Léo n'a pas tort. Nous n'avons jamais considéré Élo comme une «vraie fille». Malgré son apparence trompeuse, Élo a toujours été notre égale. *One of the boys*, comme dit mon père. L'idée que ce soit Élodie qui m'ait écrit cette lettre est encore plus désastreuse que toutes les autres. J'ai le vertige juste d'y penser!

— Songez-y, elle écrit: «... *nous deux, c'est peut-être impossible...*»

Léo et moi, nous nous regardons, paniqués. Il ne parle pas souvent, F.-X., mais quand il parle, c'est énorme. Non! Je refuse qu'Élodie me déclare son amour. C'est n'importe quoi! C'est sûrement une mauvaise blague ou quelqu'un qui me joue un tour. Léo frappe sur la table, comme s'il venait d'avoir une illumination.

— Je l'ai! La lettre est adressée à ton père! M. Côté... ce n'est pas toi, c'est ton père!

— Mon père n'a pas mis les pieds dans une école depuis au moins 15 ans!

— Même pas à la réunion de parents, au début de l'année?

J'ouvre grand les yeux. Je considère l'option pour la chasser aussitôt.

— Ça ne se peut pas! Il y a juste ma mère d'assez bizarre pour être amoureuse de mon père! Et puis, je crois que c'est ma mère qui est allée à la réunion. Je pense... j'espère. Oh! mais il me semble que... oui, oui, oui!

— Oui, oui, quoi?

— Béatrice m'a appelé comme ça, l'autre jour... monsieur Côté! Il me semble.

— Es-tu sûr?

— Je sais plus trop...

Je me gratte la tête. Je suis encore plus mêlé qu'hier soir.

— *Schnoutte!*

Je suis le regard apeuré de Léo pour apercevoir Élodie qui marche vers nous en traînant son vélo à côté d'elle. Heureusement, F.-X. a le bon réflexe de cacher discrètement la lettre et l'enveloppe dans la manche de son gilet.

— Qu'est-ce que vous faites là?

Personne n'ose rien dire. Nous sommes tous figés, pris en flagrant délit. Élo nous regarde derrière ses lunettes bleues, les poings sur les hanches. Elle a laissé ses cheveux tomber sur ses épaules et porte une espèce de *jumper* en velours côtelé bleu marin avec un t-shirt blanc en dessous. Ça y est... Élodie, mon Élo à moi, ma meilleure amie, est devenue une fille à mes yeux.

— On t'attendait! improvise Léo avec un peu trop d'enthousiasme.

— Ouais! Tu n'as pas eu mon message? que je rajoute.

— Non!

— Je ne comprends pas. F.-X. et Léo l'ont reçu, pourtant!

L'astuce fonctionne à merveille et elle n'y voit que du feu. Intérieurement, je soupire de soulagement. Nous nous détendons tous un peu. Mais je n'ose plus la regarder en face. Je déteste cacher des choses à mes amis… surtout qu'Élo a toujours lu en moi comme dans un livre ouvert.

Sa bonne humeur retrouvée, elle prend place à côté de moi et se sert un verre de jus. J'en profite pour fouiller dans mon sac, comme si de rien n'était, et j'en sors un jeu de cartes. Tout le monde a l'air content. Ça fait longtemps qu'on n'a pas joué. Mais malgré tout ça, je n'arrive pas à oublier la lettre… et je suis encore moins avancé que je l'étais! Je me sens comme un joker qu'on rejette…

J'ai besoin de penser à autre chose que cette lettre... à autre chose que Béatrice ! Ça occupe beaucoup trop l'esprit, l'amour, je trouve !

Armé d'un énorme bol de maïs soufflé et d'un verre de jus de raisin géant, je m'enferme dans ma chambre et je m'installe confortablement sur mon lit. Parmi les coussins et les oreillers, je peux enfin me détendre et faire semblant que le reste du monde n'existe pas.

J'allume l'ordinateur portable, puis je le pose sur une chaise à proximité de mon lit et je lance la vidéo. Les premières notes du générique retentissent dans mes écouteurs et aussitôt que j'aperçois les mots *La femme au chapeau bleu* sur l'écran, je me sens mieux. J'ai déjà vu ce film des dizaines de fois, mais peu importe. Je ne me tannerai jamais.

La première scène s'ouvre sur McGallagher, détective privé, en train de se servir un verre d'alcool. Il se cale dans son fauteuil et, les deux pieds sur son bureau, il lit le journal en sirotant son scotch. C'est là qu'une ombre apparaît derrière la vitre teintée de la porte. Une silhouette portant un grand chapeau. Une musique sinistre se fait entendre. Moi, je sais déjà qu'il s'agit de Sharon, la «fameuse» femme au chapeau bleu du titre. Elle cherche son mari.

Je regarde l'écran, mais mon esprit est ailleurs. Ça va faire bientôt une semaine que j'ai reçu la lettre anonyme, et il ne s'est rien passé. À l'école, j'ai bien tenté d'approcher Béatrice, mais chaque fois, ça a été un échec lamentable. Elle était toujours entourée d'amis. On aurait dit que tout le monde à l'école était attiré par elle, comme si elle était un aimant. Pas moyen de lui parler seul à seule.

— De toute façon, qu'est-ce que tu lui dirais?

— Je ne sais pas, Léo… Je veux juste savoir si ça vient d'elle ou non.

— Et si ça ne vient pas d'elle?

Je n'ai pas répondu. La possibilité qu'une autre fille m'ait écrit cette lettre n'est pas envisageable. C'est déjà un calvaire d'être amoureux, je n'ai pas besoin en plus d'être courtisé! Tout ce que je veux, c'est que les choses redeviennent comme avant. Surtout avec Élo. Toute la semaine, il y a eu comme un malaise entre nous deux. Elle a passé presque tous ses midis avec Béatrice et d'autres filles de l'école. Daphné, Maude, Sarah, Lily-Rose. Une armée de filles intimidantes. Un monde inconnu que je préfère ne pas découvrir. Léo est outré.

— Veux-tu bien me dire ce qu'elles ont de plus que nous, elles?

Le fait que Béatrice et Élodie sont maintenant inséparables me complique encore plus la vie. C'est pour cette raison qu'aujourd'hui, ce midi, j'ai préféré errer dans les allées de livres à la bibliothèque de l'école plutôt que de passer l'heure entière à observer les filles de loin en me lamentant. Tous les vendredis, nous avons exceptionnellement le droit d'aller à la bibliothèque. J'en profite souvent pour faire le plein de bandes dessinées pour la semaine, au grand désespoir de mes amis qui préfèrent se prélasser au soleil.

Mon cœur s'est arrêté quand je suis tombé face à face avec Béa dans la section des bandes dessinées.

— Salut, Henri Côté !

— Salut...

Dans ma tête, je ne cessais de me répéter : «Dis quelque chose ! Dis quelque chose !» J'en étais incapable. On aurait cru qu'elle venait de m'hypnotiser et que j'avais oublié comment produire le moindre son ! Si nous avions été au Moyen Âge, et si elle n'avait pas été aussi jolie, je l'aurais pointée du doigt en criant : «Sorcière ! Sorcière !» Mais Béa n'a rien d'une sorcière. C'est moi, le problème ! Quand je la vois, je me transforme en zombie !

— J'aime ton chandail !

Oh! elle aime ton chandail! OK, Henri, réponds quelque chose de cool!

— C'est à mon père.

Bravo! Maintenant, elle va penser que tu n'as aucune personnalité!

C'était pourtant vrai. Souvent, quand je ne sais pas trop quoi mettre le matin, je fouille dans la commode de mon père pour lui emprunter un morceau ou deux.

Mon père possède tout un éventail de t-shirts à l'effigie de ses superhéros préférés ou des groupes de musique bizarre qu'il écoutait au cégep, ce qui désespère ma mère. Il ne les met presque jamais, mais il tient à les conserver, comme je tiens à conserver tous les billets des films que j'ai vus au cinéma. Moi, j'en profite.

Ce matin, constatant que tous les vêtements qui me faisaient encore étaient empilés dans un coin de ma chambre, en attente d'être lavés, j'avais opté pour un de ces chandails. Une antiquité avec une espèce d'arc-en-ciel qui traverse un triangle.

— Il est *cool,* ton père!

Henri: 0, Papa: 1

— Je voulais te dire que c'était vraiment le *fun* chez vous, vendredi dernier. Si vous recommencez, tu me le diras.

Dans un monde idéal, si ma vie avait été comme dans les films, j'aurais sorti la lettre de ma poche arrière et je la lui aurais montrée. Elle aurait rougi un peu, puis je lui aurais dit quelque chose comme: «Moi aussi, je brûle pour toi.» Elle se serait approchée de moi et elle aurait mis sa main dans la mienne. Mais même dans les vies que je m'invente, ces choses-là n'arrivent pas. Elle a juste pris ses bandes dessinées et elle est partie, en me laissant tout seul, tel un vieux chou-fleur pourri, dans l'allée de la bibliothèque. Heureusement, c'est vendredi. Pas d'école demain. Pas de malaises. Pas de Béatrice.

Il faut que je pense à autre chose! C'est épuisant, l'amour. C'est pire qu'une corvée. F.-X. et Léo n'arrêtent pas de se moquer de moi, comme si j'avais attrapé la varicelle ou quelque chose comme ça.

Je me concentre donc sur mon film en noir et blanc. McGallagher et Sharon sont en voiture. On voit clairement que c'est une fausse voiture devant un écran sur lequel défilent de fausses rues. Le détective ne regarde même pas la route. Il fait juste aller son volant d'un côté et de l'autre. Dans la vraie vie, il aurait déjà tué plusieurs personnes en conduisant ainsi. Ça me fait rire. Je ne sais pas trop ce qu'il dit à la femme au chapeau, mais il a l'air fâché.

Je sursaute quand j'entends la porte de ma chambre se refermer. Béatrice est là, le dos collé contre la porte, comme si elle avait peur que quelqu'un tente de la défoncer. Elle est vêtue d'une longue robe rouge et ses cheveux sont remontés sur sa tête en un chignon élégant. Je me lève aussitôt.

— Béa? Qu'est-ce que tu fais là?

Elle se lance vers moi et s'agrippe à mon cou.

— Henri! Je ne savais plus où aller...

— Qu'est-ce qui se passe?

Je la repousse doucement pour l'observer. Des larmes coulent sur ses joues, laissant sur leur passage un coulis de mascara noir. Ses yeux sont exorbités sous l'effet de la panique. Derrière moi, une musique macabre sort des haut-parleurs de l'ordinateur. La scène est irréelle.

— Oh! Henri, j'aurais dû tout te dire depuis le début...

Elle se met à pleurnicher sans être capable de se contrôler.

— Me dire quoi?

Elle ne me répond pas. Elle reste plantée là, à pleurer comme une petite fille de quatre ans. Je la saisis par les épaules et je tente de la raisonner.

— Me dire quoi, Béa? C'est la lettre, c'est ça? C'est ça que tu veux m'avouer?

La fenêtre de ma chambre s'ouvre brusquement. Apparaît Léo, les cheveux plus ébouriffés que jamais, en train de s'y faufiler. Sa chevelure est maintenant d'une drôle de teinte de bleu.

Presque mauve. Entre ses mains, il tient fermement une pelle en métal.

— Bébitte?

— Éloigne-toi d'elle, Henri! Maintenant! Fais ce que je te dis!

Je ne comprends plus rien. Et pourtant, j'ai une étrange sensation de déjà-vu.

— De quoi parles-tu?

— Cette chose n'est pas Béatrice!

Je me retourne vers elle et je constate à l'instant que son visage est un peu déformé, comme s'il était en train de fondre. Elle lève sa main tranquillement, agrippe ses cheveux et se met à tirer vers le bas. Effectivement, ce n'est pas Béatrice! Il s'agit d'un vulgaire masque sous lequel se cachait Élodie! Devant moi, elle éclate de rire. Je recule. Léo est désormais à mes côtés, sa pelle à bout de bras.

— C'est vrai, je ne suis pas Béatrice! Penses-tu vraiment qu'une fille comme elle s'intéresserait à toi?

— Élo? Mais… quoi? Je ne comprends pas!

— Viens avec moi, Henri. Je suis là pour te ramener sur notre planète.

— Non, c'est un piège! crie Léo.

— Ne l'écoute pas, Henri. Viens.

Élodie me tend la main. Je n'arrive plus à contrôler mon corps. Je me vois en train de lui tendre la mienne, mais au même moment, Léo lui assène un violent coup de pelle et sa tête s'envole à l'autre bout de la pièce. Il ne reste plus que son corps qui fait aller ses bras dans le vide. Sortant de son cou, des fils électriques font des flammèches.

— C'est un robot! Henri, c'est un robot! Vite, il faut partir d'ici!

Nous prenons nos jambes à notre cou et nous sortons de la chambre à toute vitesse. De l'autre côté de la porte, je reste pétrifié. Il y a une dizaine de Béatrice, avec la même robe rouge, la même coiffure. Elles me regardent toutes d'un air ahuri.

— Viens avec nous, Henri! Viens.

— *No way*! Il va d'abord falloir passer par-dessus le corps de Bébitte! Cours, Henri, cours!

Pendant que Léo attaque l'armée de robots-Béatrice, je me fraye un chemin jusqu'à l'escalier et je monte les marches deux par deux. Je suis presque à l'étage quand je sens une main froide saisir ma cheville et me tirer vers le bas. Je m'accroche à la rampe de toutes mes forces. Au loin, j'aperçois ma mère. Je crie à tue-tête:

— Mamaaaaaaaaaaan! Mamaaaaaaaaaaan! Aide-moi!

Mais elle reste là, à danser et à chanter. Plus je crie, plus la musique augmente. Ça remplit toute la maison, c'est partout autour de moi.

Coucou café
Expresso. Allongé.
Secrets sur
L'oreiller
Mon amour
Coucou caféééééééééééééééééé

Je réussis à me défaire de l'emprise du robot, puis je cours vers ma mère, pris de panique. Quand elle finit par se retourner, je sens mes jambes flancher. Elle n'a plus de visage. Au bout du corridor, j'entends Marika se mettre à hurler. Un des robots-Béatrice la tient par-derrière. Elle se secoue dans tous les sens, mais le robot a l'air beaucoup plus fort qu'elle. Je m'écroule par terre, au son terrible du succès de ma mère : *Coucou caféééééééé* ! Je vois les robots-Béatrice m'entourer tranquillement. J'essaie de crier, mais aucun son ne sort de ma bouche. Et ma sœur qui n'arrête pas de crier : « Henriiii ! Henriiiiiii ! Henri !!! »

— Henri !

Je me réveille en sursaut, le cœur battant à tout rompre, faisant voler le maïs partout dans mon lit. Marika est penchée sur moi et me dévisage.

— Ça va ? Ça fait une demi-heure que je t'appelle !

— J'ai dû m'endormir.

Je regarde autour de moi. Tout est à sa place, mis à part le maïs soufflé que je viens de répandre aux quatre coins de mon lit. Sur le portable, le générique du film défile.

— T'endormir, tu dis ? Tu ronflais ! Tu as même un peu de bave sur le bord de la bouche. Ça devait être plate rare, ton film !

— Qu'est-ce que tu veux ?

— Il y a Léo pour toi à la porte.

J'acquiesce de la tête et j'attends qu'elle soit sortie de ma chambre pour me lever. Je me frotte les yeux et continue de regarder autour de moi, comme si j'avais peur de voir un robot apparaître, surgir du placard, quelque chose comme ça. C'était si réaliste, j'en ai encore des sueurs froides qui me coulent dans le dos.

Je chasse du revers de la main les quelques grains qui s'accrochent à mon gilet, puis je monte vers la porte d'entrée. Je me glisse à l'extérieur sans faire de bruit. Léo est assis sur la première marche de béton. Je m'assois à côté de lui en soupirant, encore sous le choc du rêve. La nuit a commencé à tomber. Je frissonne. Je lui tends mon poing fermé sur lequel il frappe. Poing dessus, poing dessous, pif, paf et explosion!

— Salut.

— Salut. Je m'excuse de t'avoir réveillé. J'ai essayé de t'appeler par ta fenêtre de chambre, mais tu dormais assez dur.

— C'est correct. Ça explique peut-être pourquoi t'étais dans mon rêve.

— Pour vrai? Wow! Je faisais quoi?

— Tu décapitais des robots extraterrestres.

— T'es bizarre, Henri Côté.

— Tu n'es pas censé être rentré avant qu'il fasse noir, toi?

— C'est exactement ce que j'étais en train de faire... quand je suis passé devant chez vous.

Il regarde autour, deux, trois fois, et finit par sortir quelque chose de sa poche.

— Puis, j'ai vu ça. C'était collé sur ta porte.

Il me tend une enveloppe, identique à celle que j'ai trouvée la semaine dernière. Toujours les deux mêmes mots : *À toi*. J'ai la sensation que je ne serai plus jamais capable de respirer. Tout mon corps se contracte. Ce n'est plus seulement le vent qui me fait frissonner. C'est l'anticipation. La nervosité.

— Je me suis dit qu'il valait mieux que ce soit moi qui la trouve plutôt que quelqu'un de ta famille.

— Bien pensé.

J'ouvre l'enveloppe et j'en sors deux feuilles de papier. Même écriture soignée. Je lance un long soupir et je passe immédiatement à la dernière page. Toujours aucune signature. Je ne comprends pas ! Ça sert à quoi de recevoir des lettres d'amour si on n'est même pas capable de savoir de qui ça provient ? Je me mets à lire à voix basse, assez fort pour que Léo puisse suivre, mais assez bas pour qu'on ne m'entende pas autrement :

Salut toi,

Mon cœur saigne. Toute la semaine, j'ai attendu que tu viennes me parler, mais

toutes les fois où nos yeux se sont croisés,
tu as détourné le regard. M'évites-tu? Si
je ne t'intéresse pas, dis-le-moi. Je préfère
le savoir au lieu de me morfondre jour et
nuit. Pourtant, je continue de croire qu'il
existe un espoir, aussi petit soit-il. Depuis
la fois où nous nous sommes retrouvés
seuls, toi et moi, je rêve de toi. Je rêve
qu'on se retrouve encore à part des autres
et qu'enfin, je puisse t'embrasser.

Mais je ne veux pas te mettre de pression.
Prends le temps qu'il faut pour y penser.
Moi, je t'attendrai. Et je continuerai
de t'aimer en silence, pour la vie et
pour toujours.

Je replie la lettre et je la replace dans l'enveloppe rapidement, comme si j'avais peur qu'elle se détruise. Je regarde Léo qui a les yeux aussi ronds qu'une pièce de deux dollars. Il s'esclaffe.

— *Duuuuude*! Elle est donc bien intense!

— Un peu trop, je trouve. «*Pour la vie et pour toujours*»? Franchement! On n'est même pas encore officiellement des ados!

— Qu'est-ce que tu vas faire?

— Je ne sais pas… je ne le sais vraiment pas. Je ne sais même pas si ça vient vraiment de Béatrice ou si ça vient de quelqu'un d'autre.

— J'ai peut-être une idée pour résoudre le mystère…

Je regarde Léo, qui m'adresse un petit sourire narquois.

Ce n'est jamais bon signe.

— Bonne journée, morveux!

Marika passe en vitesse à côté de moi. Je la vois courir et embarquer juste à temps dans son autobus scolaire. Le mien n'arrive pas avant 15 minutes. J'en profite pour terminer mon devoir de français que je n'avais pas envie de finir pendant la fin de semaine. Assis devant chez moi, je me laisse réchauffer par le soleil d'automne qui brille de moins en moins fort. Ma mère sort avec ma petite sœur, Alexandra.

— Qu'est-ce que tu fais là?

— J'attends d'aller attendre mon autobus.

— Fallait justement que je te parle.

Je range subtilement mon devoir dans mon sac pendant qu'Alex s'amuse à lancer des feuilles mortes dans les airs en criant: «Woohoo!» Il n'y en a pas encore beaucoup, mais assez pour divertir «le miracle» pendant des heures. Des fois, j'aimerais ça avoir de nouveau son âge. Il me semble que c'était moins compliqué.

— Qu'est-ce qu'il y a?

— C'est ta fête cette semaine, je n'ai pas oublié. Qu'est-ce que ça te tente de faire cette année? *Party* karaoké avec tes amis? Films et pizzas?

Ma fête... Douze ans, ça devrait se fêter en grand. Mais je ne sais pas pourquoi, je n'ai pas trop envie de célébrer cette année. Après tout, je n'ai aucune preuve que c'est bien la date à laquelle je suis né. Si ça se trouve, j'ai vu le jour en plein mois de juillet. Mes parents disent toujours que ce n'est pas important, qu'eux, ils savent et que c'est ce qui compte. Je découvrirai toute mon histoire le jour de mes 16 ans. Ce n'est pas net, tout ça.

Je hausse les épaules. Mais ma mère s'impatiente en croisant les bras.

— Qu'est-ce que tu as, toi, ces temps-ci?

— Hein? Moi? Rien.

— Bon, eh bien, pense à ça et reviens-moi là-dessus. *Sky is the lemon*, qu'ils disent!

— *Limit.*

— Limite quoi?

— On dit: *Sky is the LIMIT.* Pas *lemon.*

— Ah! je trouvais ça bizarre aussi comme expression. Je me disais: mais qu'est-ce que le citron vient faire là-dedans? Ha! ha! Bon, allez, viens, ma puce! Bonne journée, mon Pitt!

Peu importe l'âge que je vais avoir, je serai toujours le «Pitt» de ma mère. C'est exaspérant. Au moins, elle s'abstient devant mes amis... la plupart du temps. Je regarde la voiture de ma mère tourner le coin de la rue et j'aperçois F.-X. qui marche tranquillement avec ses écouteurs sur les oreilles. Je lui adresse un grand signe de la main et je cours à sa rencontre, tant bien que mal, avec mon énorme sac à dos trop lourd.

— F.-X.! Depuis quand tu marches pour aller à l'école?

Il soulève ses épaules et enfonce ses mains dans ses poches en regardant par terre. Il marmonne:

— Bah, ma mère s'est fait un nouveau *chum*... Fabrice! Tu parles d'un nom! Il est insupportable. Ça fait que je suis parti plus tôt. Et puis, tant qu'à attendre pendant une demi-heure sur le bord du chemin, j'ai préféré venir te rejoindre.

— Je pensais qu'il était *cool*, le *chum* de ta mère.

— Il l'était. Lui, c'est un autre. Une espèce de gros monsieur avec une cravate qui dit tout le temps: «Super!» Je ne suis plus capable! «Hey! c'est SUPER ton jeu! Hey! c'est SUPER ta musique! C'est SUPER bon ton souper, Julie! Super! SUPER!» Yark! Tu parles d'une expression fatigante!

Je ne dis rien. En partie parce que je ne sais pas quoi dire. Et parce que c'est rare que F.-X. parle autant. Je n'ose pas le couper dans son élan. Il a vraiment l'air fâché, alors je l'écoute se défouler sur tous les sujets qui lui viennent en tête. Sa mère, son père, la séparation, le *chum* de sa mère, ses vêtements qui semblent rapetisser à vue d'œil...

— Puis à part ça, je hais les lundis. Bon... Excuse-moi, Henri. Je ne veux pas te déranger avec ça.

— Mais voyons! Dérange tant que tu veux!

— Bébitte m'a dit pour la lettre...

Je me renfrogne. Je l'avais presque oubliée, celle-là. En fait, c'est complètement faux. Je n'ai pas arrêté d'y penser! Je l'ai lue et relue toute la fin de semaine. Plus je la lis, plus je la trouve intense. Quelle fille peut bien *m'aimer* à ce point-là? C'est épeurant! C'est excitant aussi. Je suis tellement mêlé dans ce que je ressens que je redoute presque de découvrir la provenance de ces lettres.

— Ouais… j'ai hâte de voir c'est quoi, son idée de génie, à Bébitte.

L'autobus finit par arriver. Je laisse passer F.-X. devant moi. Léo est déjà assis au fond et ne tient pas en place, comme d'habitude. On dirait qu'il rebondit sur son siège comme un ballon de basketball. Avec ses cheveux orange, ça donne un drôle d'effet. Ses sœurs tentent désespérément de réparer leur désastre capillaire, mais elles échouent lamentablement et Léo refuse de se raser. «C'est toute mon identité, mes cheveux!» qu'il dit.

Sans que je comprenne ce qui m'arrive, on me tire par le bras et je me retrouve assis en plein milieu de l'autobus à côté d'Henri O'Neill. Je lance un regard affolé à Léo et F.-X. au fond de l'autobus, mais déjà, Nabil et Justin, qui occupent le banc d'à côté, sont penchés vers nous et m'observent avec intérêt.

— Salut, Côté. Faut qu'on se parle.

— Ce n'est pas une raison pour me kidnapper comme ça, en plein milieu du bus!

— Pas de panique, tu vas pouvoir aller retrouver ton clown et ton ogre dans une minute!

Je le déteste. Il se prend tellement pour un autre! Il s'installe de façon à me faire face sur le banc. J'essaie de ne pas le regarder, mais ça devient gênant. Il m'adresse son plus beau sourire en me donnant une petite bine sur l'épaule, comme si j'étais son meilleur ami.

— Comment tu vas, toi? Il me semble que ça fait longtemps qu'on ne s'est pas parlé!

Il est tellement charmant que j'y crois presque. J'ai envie de lui répliquer qu'on ne s'est jamais vraiment parlé. On s'est tenus ensemble, peut-être, une ou deux semaines en première année. C'est tout. Ça me faisait trop bizarre de toujours appeler quelqu'un par mon prénom.

— Qu'est-ce que tu veux, O'Neill?

Nabil et Justin sont désormais presque embarqués par-dessus moi sur le banc. Je leur lance un regard agacé, mais ils ne semblent pas ébranlés le moins du monde.

— Je me demandais, là… comme ça… Élodie, tu la connais bien, toi, non?

— C'est ma *best* depuis qu'on est en maternelle. Pourquoi?

— Est-ce que tu sais si… penses-tu que… garde ça pour toi, là, mais… est-ce qu'elle aurait le goût d'avoir un *chum*, tu crois?

Sa question me fait l'effet d'une décharge électrique. O'Neill et Élodie… ensemble? J'aimerais mieux me faire attaquer par une horde de zombies que de voir ça!

— Ça me surprendrait beaucoup!

— OK. Mais je veux dire… vous n'êtes pas un couple? Parce que Nabil dit que…

— Franchement! C'est quoi, cette question-là? Yark! Je préférerais manger de la bouette plutôt que de sortir avec Élodie!

Je réalise que je viens de proclamer ça à voix haute. Pire: je l'ai presque crié. Tout le monde dans l'autobus se retourne vers moi en silence. Nabil et Justin se tordent de rire sur leur banc tandis qu'O'Neill me regarde comme si je venais de lui annoncer la fin du monde. Si j'avais un siège éjectable, je l'activerais pour m'élancer dans la stratosphère. Mieux: j'activerais celui d'Henri O'Neill pour le faire disparaître à tout jamais de ma vie!

L'autobus fait un arrêt. Je me lève et je me dirige en vitesse vers l'arrière de l'autobus où F.-X. et Léo me dévisagent, la mine basse. J'entends tout le monde chuchoter sur mon passage, se cacher pour rire. Je me cale dans mon siège. C'est le moment parfait pour me faire enlever par des robots extraterrestres! Qu'on me ramène sur ma planète! J'ai tellement honte.

— *Dude*! Qu'est-ce qui t'arrive, toi, tout d'un coup?

— Je ne le sais pas, les gars. C'est sorti n'importe comment! J'espère juste que personne ne va répéter ça!

Mais les déclarations-chocs dans un autobus, ça se propage beaucoup plus vite qu'on le pense.

En entrant dans notre classe, je vois Élodie qui m'observe d'un air destructeur. Je me dirige vers elle immédiatement, mais elle me tourne aussitôt le dos. J'ouvre la bouche pour lui dire quelque chose, mais je suis rattrapé par la cloche qui annonce le début des cours. Je m'assois à mon bureau, la tête entre les mains. Qu'est-ce que j'ai fait? À l'autre bout de la classe, O'Neill me regarde en ricanant avec Justin, son voisin de bureau. Savoir que je ne me ferais pas prendre, je lui lancerais tout le contenu de mon coffre à crayons en pleine face!

Madame Mireille se met à écrire au tableau. Tout le monde sort son cahier d'exercices pour noter les problèmes qu'elle nous donne, comme si rien n'était arrivé. Moi, j'en suis incapable. Je fixe le vide devant moi, tout est flou.

— Est-ce que ça va, Henri? me demande madame Mireille, en réalisant que je suis blanc comme un drap.

Je lui fais signe que je vais bien et je note ce qu'elle vient d'écrire au tableau dans mon cahier sans rien comprendre de ce que j'écris. Ça pourrait être du russe que ça ne me surprendrait pas.

Plus tard, dans le corridor, la voix d'Élodie résonne partout et se répercute sur les murs.

— Comme ça, je suis un tas de bouette?

— Ce n'est pas ça que j'ai dit!

— Eh bien, c'est ça que tout le monde répète dans l'école, que tu as crié à tue-tête: «Ouache! Élodie, c'est un gros tas de bouette!»

— Élo, je te jure que je n'ai pas dit ça! Demande à F.-X.! Demande à Léo! Ils étaient là!

— Qu'est-ce que tu as dit, d'abord?

— J'ai dit...

Je ne peux pas répéter ça. Pas à elle. Élodie ferme son casier tellement fort que j'ai peur qu'elle ne puisse plus jamais le rouvrir. Son sac à lunch pressé sur sa poitrine, elle se retourne vers moi et me regarde pour la première fois depuis ce matin. Elle a toujours des couteaux dans les yeux, mais aussi un début de larmes.

— On s'en fout de ce que j'ai dit! Je voulais juste fermer la trappe à O'Neill.

— Et puis-je savoir pourquoi tu parlais de moi avec lui?

— Tu n'as pas à t'inquiéter! Il faisait juste s'informer sur ta vie amoureuse. Je lui ai dit qu'il n'avait aucune chance!

Maintenant, ce n'est plus des couteaux que ses yeux me lancent... Élodie me regarde comme un T-Rex qui s'apprête à manger une brebis! Je ne l'ai jamais vue aussi en colère. Encore une fois, je viens de manquer une bonne occasion de me taire!

— Tu lui as dit QUOI?

— Écoute, Élo... dans le fond, ce que je voulais dire...

— Je ne sais pas ce qui se passe avec toi, mais si jamais tu retrouves mon *best*, tu lui diras que je m'ennuie de lui! Au début, il y a trop de filles dans la gang, après ça, tu fais des réunions secrètes dans le parc avec F.-X. et Bébitte, puis maintenant, je suis un tas de bouette avec qui O'Neill n'a aucune chance? Je ne te reconnais plus!

— Élo...

— Tu aurais l'air fin, toi, si j'allais voir Béa pour lui dire que tu es juste un gros tas de bouette et qu'elle n'a aucune chance avec toi!?

— De quoi tu parles?

— Pffffft! Tu me prends vraiment pour une imbécile!

Elle tourne les talons et se dirige vers la cafétéria sans se retourner, me laissant seul dans le corridor désert. Ma journée ne pourrait pas plus mal aller! Je suis frustré. Contre O'Neill, contre Élo, contre moi-même! Tout ça, c'est la faute à Béatrice. Tout allait bien dans le meilleur des mondes avant son arrivée-surprise dans nos vies.

Je referme la porte de mon casier et le visage de F.-X. apparaît.

— J'ai tout gâché avec Élo.

Mon ami me prend par l'épaule et m'entraîne vers la cafétéria. Il sourit pour me réconforter et me dit sur le ton le plus sérieux du monde :

— Viens, je te donne ma barre tendre.

C'est vendredi. C'est mon anniversaire. La semaine a passé sans que je m'en aperçoive, un peu comme dans un rêve, quand le temps semble s'allonger et se tordre dans tous les sens. C'est sans doute la pire semaine de fête de toute ma vie! Léo et F.-X. complotent dans mon dos et refusent de me révéler ce qu'ils trament ensemble. Léo me répète sans arrêt: «Arrête de t'en faire, *dude*, tu vas voir, ça va être parfait!» Ce n'est pas que je ne lui fais pas confiance... mais j'aimerais mieux être dans le coup.

Élodie me boude. En fait, je ne sais pas si elle me boude ou si elle est juste vraiment fâchée. Depuis qu'on se connaît, c'est la première fois que je la vois aussi distante avec moi. En plus, on dirait qu'elle le fait exprès, elle passe tous ses temps libres, à l'école, avec Béatrice. Je n'ose donc pas parler ni à l'une ni à l'autre. C'est insupportable! Par contre, Élo ne se gêne pas pour saluer avec conviction Léo et F.-X., devant moi, comme si je n'existais pas. Je me suis tout de même risqué à glisser un mot dans son casier, ce matin.

Salut Élo! Je m'excuse de t'avoir fait de la peine. Tu me connais, je fais tout le temps plein de gaffes! Je ne voulais <u>vraiment pas</u> dire ça à O'Neill. Il m'a comme piégé.

Demain (samedi!) soir, il va y avoir un party pour ma fête chez nous. J'aimerais ça que tu viennes. Si ça te tente. En tout cas, moi, j'aimerais VRAIMENT ça que tu viennes.

Je m'excuse encore. Ton best 4ever. Henri

Je me sens pathétique. Léo et F.-X. m'ont abandonné pour le lunch. Je ne sais pas trop pourquoi, ils ont soudainement décidé de participer au comité d'Halloween à l'école. Ça ne leur ressemble pas, et ça leur ressemble encore moins de ne pas m'avoir mis au courant. J'aurais aimé ça, moi aussi, intégrer le comité. Mais Sarah m'a fait clairement comprendre que le groupe était déjà complet. Je suis donc condamné à errer tout seul pendant l'heure du dîner. Après avoir mangé mon lunch en vitesse dans la cafétéria, je me pousse en douce vers la bibliothèque, content que les élèves de sixième année aient ce privilège.

L'endroit est presque désert, à part Alice et Victor qui sont installés sur des poufs dans le fond du local. Ils étaient dans ma classe, l'an passé. Je les salue rapidement de la main avant de m'enfoncer dans une des rangées de livres. J'imagine que la plupart du monde a préféré aller se prélasser au soleil pendant qu'il fait encore assez beau pour être dehors sans attraper la mort. Tant mieux! Je n'ai pas envie de parler à personne. En tournant le coin d'une rangée, je tombe face à face avec monsieur John, le prof d'anglais.

— *Good afternoon, Mister Côté!*

Je ne suis pas trop d'humeur à converser en anglais. À converser tout court. Mais je souris et je fais un effort. Monsieur John a toujours été vraiment sympathique avec moi, surtout depuis qu'il sait que j'adore les vieux films en noir et blanc.

— *Hello, Mister John.* Comment ça va?

— *Good, good! I'm doing just fine, actually!* Je suis *glad to see you.* Henri, je voulais te dire la chose.

Monsieur John vient du fin fond de l'Ontario et ne parle que très peu français. Il s'y risque parfois, en dehors de la classe. La majorité du temps, il faut que je me retienne pour ne pas ricaner. Il forme souvent des phrases sans queue ni tête. Je suis trop gêné pour le corriger, alors je fais comme si de rien n'était.

— Je… hum… je trouvé un nouveau *cool website* où tu peux *watcher* des tonnes de films gratuités. *There's a whole bunch of movies I've never seen before!* Tu vas… *how do you say?*… capoter?

Il m'écrit l'adresse du site sur une page vierge de son agenda, la déchire et me la tend. J'agrippe le bout de papier, mais il refuse de le lâcher.

Je lève la tête pour le regarder. Il fronce les sourcils et finit par le laisser aller.

— *Are you OK?* Tu as l'air triste.

Je hausse les épaules.

— Ça va. *Thank you* pour le site. Je vais aller voir ça, ce soir.

— *Be sure to watch* The Haunted Ruby. C'est un classique.

— OK. Merci.

Je prends un roman au hasard sur la tablette à côté de moi, puis je vais m'installer à une table vide. Normalement, j'aurais été excité à l'idée d'arriver chez nous pour regarder *Le rubis hanté*, mais je reste là, à fixer la page devant moi. Les mots sont flous. Je ne parviens pas à me concentrer plus que deux secondes sur le livre. Tu parles d'une journée de fête horrible! J'ai déjà hâte d'aller me coucher! Pour mon souper de fête, ma mère m'a dit qu'elle me préparerait un festin de fondue chinoise. C'est ma seule consolation.

La première cloche sonne pour annoncer la fin de l'heure du lunch. Je retourne dans la rangée pour replacer le livre que je n'ai pas réussi à lire, je prends mon temps. Avec un peu de chance, l'après-midi va passer vite et, le temps de le dire, je vais être dans ma chambre, confortablement enfoui sous les couvertures de mon lit. Je fais un bref arrêt à mon casier pour y ranger mon sac. Léo et F.-X. ne sont nulle part en vue. Il n'y a que Justin et Henri O'Neill un peu plus loin qui me regardent en riant. Ils passent rapidement à côté de moi et se dépêchent d'entrer dans la classe en me lançant des regards amusés. Non, mais, c'est quoi, leur problème? Je ferme violemment mon casier et j'arrive dans la classe au moment où la deuxième cloche retentit.

Je ne réalise pas tout de suite que tout le groupe est réuni autour de mon pupitre. Je m'arrête sec comme si je venais de frapper un mur invisible. La classe tout entière se retourne vers moi et se met à chanter: «Mon cher Henri, c'est à ton tour, de te laisser parler d'amouuuuur! Mon cher Henri, c'est à ton tour, de te laisseeeeer parleeeeer d'amOUUUUUR!» Aucun mot ne peut décrire ma gêne. J'ai l'impression que ma température grimpe, que ma tête va exploser sous le coup de la chaleur qui m'envahit.

Le groupe se disperse et j'aperçois Élodie qui s'approche de moi avec un morceau de brownie au chocolat de la cafétéria, une chandelle allumée sur le dessus. Elle me sourit et, derrière ses lunettes mauves, je vois ses yeux qui me rassurent : nous sommes redevenus amis. En quelques secondes, ma mauvaise journée s'efface. On dirait même que tout est plus coloré qu'avant, que le soleil brille plus fort par la fenêtre de la classe. Je souffle la flamme et tout le monde m'applaudit comme si je venais de gagner une médaille d'or. Même madame Mireille a l'air aux anges.

Je me dirige vers mon bureau où Léo et F.-X. m'attendent, le sourire fendu jusqu'aux oreilles. Léo me tend une énorme carte de fête sur laquelle il a fait un collage avec une photo disproportionnée de mon visage.

— Bonne fête, mon vieux ! Tout le monde a signé à l'intérieur.

Je le remercie, mais il insiste.

— TOUT LE MONDE a signé! Dans les DEUX classes de sixième!

Il me fait un petit clin d'œil subtil. J'écarquille les yeux et je comprends tout d'un coup. $1 + 1 = 2$! C'était donc ça, son plan? C'est parfait! Une fois la commotion passée, madame Mireille nous rappelle à l'ordre et nous prenons tous place derrière nos bureaux respectifs. J'ouvre la carte, qui est plus grande que la superficie de mon pupitre, incapable d'arrêter de sourire. Là, devant moi, j'ai l'échantillon complet de l'écriture de toutes les filles en sixième année.

Note à moi-même: ne pas oublier de dire à Léo qu'il est un génie!

Nous nous éclipsons discrètement de la fête qui bat son plein. Ma mère est en train de s'époumoner devant la machine à karaoké, les autres s'amusent sur la piste de danse improvisée dans le salon. J'ai bu trop de boisson gazeuse, je n'y suis pas habitué, et mon cœur bat la chamade. C'est peut-être aussi à cause de l'adrénaline. Nous avons peu de temps avant qu'on s'aperçoive de notre absence.

Je referme la porte de ma chambre sans faire de bruit. F.-X. plonge dans mon lit, au milieu des bandes dessinées éparpillées, en riant nerveusement pendant que Léo fait les cent pas. J'ai essayé de leur en glisser un mot, plus tôt, mais les invités ont commencé à arriver à une vitesse folle, et nous n'avons pas eu un moment à nous depuis le début de la soirée. Entre ma grand-mère, mes cousins, mes cousines, ma tante et mon oncle, Béatrice et Élodie, je n'ai eu aucun répit.

— Je ne comprends pas! Tu aurais dû être capable de l'identifier!

— Léo, j'ai passé deux heures, hier soir, à comparer l'écriture de tout le monde avec celle des lettres. Aucune ne correspond!

— Montre!

Je me précipite vers ma commode et j'ouvre un de mes tiroirs. Sous la pile de bas dépareillés, je sors la nouvelle lettre que j'ai trouvée, la veille, encore une fois collée sur la porte. Elle m'attendait à mon retour de l'école, comme une malédiction. Je la déplie et la pose sur le lit, à côté de la carte d'anniversaire.

Salut! C'est correct. J'ai compris.
Je ne t'intéresse pas. En tout cas, si
je t'intéresse, tu as une drôle de façon
de me le montrer. De loin, toute la
semaine, j'ai espéré un signe de ta part,
juste un petit sourire qui me dirait que
tu m'aimes, que tu comprends. C'est
comme si tu n'avais jamais reçu mes
lettres. Je nous croyais faits l'un pour
l'autre, comme Roméo et Juliette. Mais
je ne suis pas de taille. Notre amour
est impossible et ça me brise le cœur.
J'abandonne. Si tu changes d'idée, viens
me voir. Je t'attendrai, les bras ouverts...
M. Côté, mon amour.

— Voyons! Elle est de plus en plus dramatique! Finalement, c'est peut-être une bonne chose qu'on ne sache pas qui c'est.

— Je ne sais plus quoi faire!

F.-X. hoche la tête, l'air songeur. Il observe la lettre attentivement en comparant chaque petit mot sur la carte du bout du doigt. Moi, je laisse tomber. Hier soir, je suis allé jusqu'à sortir la vieille loupe de mon père pour essayer de déceler la moindre similitude. La seule écriture qui ressemble un tout petit peu à celle de mon admiratrice secrète est celle de madame Mireille... et je doute beaucoup que ma prof m'envoie des lettres d'amour anonymes !

— C'est plate ! J'étais sûr que mon plan marcherait !

F.-X. lève la tête en direction de Léo.

— Il y a quelque chose qui ne fonctionne pas, qu'il dit de sa voix grave.

Nous nous arrêtons pour l'observer. Il semble sérieux. Léo s'impatiente et fait un geste qui veut dire : «Allez ! Continue !»

— Si c'est une personne qu'on connaît, elle t'aurait au moins souhaité bonne fête ou quelque chose du genre dans sa dernière lettre.

Les bras de Léo tombent le long de son corps, il a l'air sous le choc. Moi, je n'arrête pas de surveiller la porte de crainte que quelqu'un fasse irruption dans ma chambre.

Comme frappé par la foudre, je sursaute et je me saisis de la lettre que je chiffonne avant de la remettre dans le tiroir. Je suis dépassé par les événements! F.-X. a totalement raison, ça ne fonctionne pas. Léo est juste trop sonné pour réagir.

Toc, toc, toc.

Élodie apparaît dans l'embrasure de la porte.

— Ah! C'est là que vous vous cachez! Qu'est-ce que vous faites?

Décidément, elle a un don pour nous démasquer! Je dis la première chose qui me vient en tête:

— Rien. Rien. Je voulais montrer le nouveau site que monsieur John a trouvé, mais le portable n'est pas dans ma chambre, finalement!

Léo et F.-X. sortent de ma chambre en vitesse pour retourner à la fête. Je les imite, mais Élodie me retient en agrippant mon bras. On se regarde maladroitement dans le cadre de la porte. Nous ne nous sommes pas vraiment reparlé depuis lundi. J'aurais voulu l'appeler hier soir, mais je ne savais pas trop quoi lui dire.

— Je m'excuse, Henri. J'ai réagi comme une vraie folle.

— Mais non, Élo. C'est moi qui ai tout gâché. C'est moi qui m'excuse.

— Bébitte m'a raconté ce qui s'est passé dans l'autobus... J'aurais dû te croire. Ce n'est pas ton genre de...

— C'est complètement faux que j'aimerais mieux manger de la bouette que de sortir avec toi. Je ne sais pas pourquoi j'ai dit ça.

Élodie plonge ses yeux dans les miens. J'ai l'impression qu'elle va se mettre à pleurer ou à crier, je ne suis pas sûr. Elle me fait un grand sourire, mais ses yeux ont l'air tristes en même temps, c'est bizarre. Puis, soudainement, sans que je m'y attende, elle enroule ses bras autour de moi et m'offre le câlin le plus intense du monde. Je suis surpris sur le coup. Elle n'avait jamais fait ça avant. Je ferme les yeux et je lui retourne son câlin. Je me sens tout drôle. Ses cheveux sentent bon. Tout à coup, c'est comme si la musique au loin avait disparu. Nous ne sommes plus chez moi. Il n'y a que moi, Élo, son odeur… et les chatouillements étranges se promenant le long de mon corps. Je suis bien.

— Oh.

Nous sursautons et nous nous éloignons l'un de l'autre, comme si une bombe venait d'exploser entre nous. Béatrice nous regarde, plus blême que d'habitude, un air de panique dans les yeux.

— Excusez-moi, je ne savais pas que… je ne voulais pas… je…

Avant que je puisse dire quoi que ce soit, elle disparaît dans l'escalier qui monte à l'étage. Je n'ose pas regarder Élodie qui semble aussi éviter mon regard. On reste plantés là comme deux épouvantails, sans savoir pourquoi. Je devrais courir après Béa, lui dire que ce n'était rien, que ce n'était qu'une accolade amicale… mais quelque chose m'en empêche. *Oh non! Qu'est-ce qui m'arrive?*

Élodie prend les devants et nous rejoignons la fête. Au grand plaisir de ma mère, qui danse au milieu du salon. Léo et F.-X. chantent à tue-tête «La chanson des petites mitaines», le succès de Madame Cacahuète. Tout le monde tape dans ses mains au rythme de la musique, même ma grand-mère aime le tour de chant de mes amis. Mon père est occupé à distribuer des morceaux de mon gigantesque gâteau de fête au chocolat.

Je cherche Béa du regard. Elle est assise à côté de ma sœur Alex, qui semble lui confier le plus grand mystère de la vie. Béa l'écoute poliment sans avoir l'air trop contrariée. Elle lève les yeux vers moi et me sourit timidement. Élo se dirige droit vers elle et lui tend une petite assiette avec un morceau de gâteau, avant de s'asseoir à côté d'elle sur le sofa. Elles se mettent à rire en regardant Léo et F.-X., beaucoup trop enthousiastes.

Marika passe son bras autour de mon cou.

— Bonne fête, mon morveux préféré !

— Merci !

— Tu n'as pas l'air content.

— Est-ce que c'est toujours compliqué comme ça, l'amour ?

Ma sœur rigole. Je ne sais pas pourquoi je lui pose la question. Elle est gentille, Marika, mais elle a la fâcheuse manie de toujours tourner en dérision tout ce que je dis. Elle cesse de ricaner quand elle voit mon air sérieux. Suivant mon regard, elle pose ses yeux sur Élo et Béa qui mangent leur gâteau aux côtés d'Alex qui chante en harmonie avec F.-X. et Léo. Elle soupire et me donne une tape dans le dos.

— Ah ! Henri… dans quelle galère tu t'es embarqué, encore ?

Elle pose sa tête sur mon épaule, comme quand on était petits. J'ai 12 ans. Mais aujourd'hui, j'aimerais ça en avoir la moitié, retourner à une époque où je n'avais pas à me poser des milliers de questions.

— Ne t'en fais pas, mon petit frère ! Tu n'as rien vu encore.

Je passe mon dimanche après-midi avec F.-X. Dehors, l'automne a décidé de tomber sous forme de pluie glaciale. Évachés sur les causeuses du sous-sol de sa maison, nous ne faisons rien de concret, à part le tour des huit millions de chaînes de télévision auxquelles il a accès. Il m'écoute me plaindre, en silence, en avalant une montagne de jujubes. Pendant tout ce temps, il ne m'interrompt que pour dire des choses comme :

— Tu t'en fais pour rien, Henri.

Ou :

— *That's life*, mon ami.

C'est tout ce qu'il trouve pour me rassurer. Je crois qu'il ne comprend pas la gravité de ma situation. Non seulement je ne veux rien savoir de l'amour, mais en plus, il faut que je sois pris entre deux filles, dont l'une est ma meilleure amie depuis toujours! Je préférerais que ce câlin, le jour de ma fête, n'ait jamais eu lieu. Je n'avais jamais vu Élodie comme une fille avant et on dirait que la vie veut à tout prix me rappeler ce fait indiscutable! Et ça, c'est sans oublier mon admiratrice anonyme!

— C'est peut-être une fille de cinquième, me lance F.-X.

— Franchement!

— Ou bien c'est madame Mireille qui se meurt d'amour pour toi!

— Ouache!

On réussit à dénicher une chaîne qui présente de vieux films de répertoire. Je suis stupéfait par ce que j'aperçois. Le film muet, en noir et blanc, s'intitule *Metropolis*. Nous avons manqué le début, mais nous regardons la télévision, fascinés par les images étranges que nous voyons. Je prends une note mentale : chercher des renseignements sur ce film en arrivant chez moi. L'info du satellite nous indique que ça date de 1927 ! Je n'en crois pas mes yeux. On dirait un mélange de *Frankenstein* et de *Star Wars*. C'est presque hypnotisant.

Nous sommes tellement pris par le film que nous ne remarquons pas tout de suite la mère de F.-X. qui arrive dans le sous-sol d'un pas pressé. Elle a enfilé un grand châle rouge et noir qui lui donne un air distingué. Elle essaie nerveusement d'attacher une petite montre à son poignet.

— Ah, tiens, bonjour Henri. Tes parents vont bien ? Bon. François-Xavier, mon grand, je m'en vais à mon rendez-vous pour mes ongles. Si Fabrice arrive entre-temps, juste lui dire que je vais être revenue pour le souper, OK ? Bisous, bisous !

Elle disparaît aussi rapidement qu'elle est apparue. F.-X. me fait un signe de tête, la mine basse.

— Est-ce qu'on va souper chez vous ? Je n'ai pas vraiment le goût de voir SUPER Fabrice !

J'acquiesce. Je n'ai pas tellement envie d'être chez moi, mais depuis l'autre jour, je sais que F.-X. file un mauvais coton ces temps-ci. Alors, j'accepte pour lui faire plaisir et en espérant trouver ce *Metropolis* en ligne. F.-X., moi, l'ordinateur portable et plein de maïs soufflé, ça me semble parfait comme plan de soirée. Il remplit son sac à dos de jujubes et de boissons désaltérantes que sa mère lui achète en caisse. Nous attendons que la pluie diminue un peu et nous partons en direction de ma maison.

Nous avons à peine marché deux minutes que la pluie se remet à tomber plus fort. Quelques pas seulement et nous sommes trempés de la tête aux pieds. F.-X. rit en me regardant et il se met à sauter dans les flaques d'eau. Je l'imite et nous parcourons le reste du chemin en nous éclaboussant mutuellement.

Comme si la température riait de nous, la pluie cesse alors que nous approchons de ma maison. Même le soleil tente de se frayer un passage à travers l'épaisse couche de nuages gris. Je secoue ma tête pour enlever l'excédent d'eau dans mes cheveux. Une fois ma vue stabilisée, je l'aperçois. F.-X. le remarque en même temps que moi.

— C'est qui, lui?

Il y a un grand gars devant la porte de ma maison. Il a l'air aussi détrempé que nous. Il porte un jean à la mode et un long t-shirt qui lui arrive presque aux genoux. Ses cheveux mi-longs lui collent au visage, ce qui lui donne un *look* à mi-chemin entre une *rock star* et un mort-vivant. Son visage me dit quelque chose. Nous nous approchons.

— Est-ce que je peux t'aider?

Il sursaute à notre vue et lance un petit cri. Ses yeux se promènent entre F.-X. et moi, essayant de déterminer le genre de gars à qui il a affaire. Il tente clairement de dissimuler quelque chose derrière son dos. F.-X. effectue un pas vers lui, mais je le retiens avec ma main. Je ne sais pas si c'est le fait que je suis avec mon ami, mais un grand courage s'empare soudainement de moi.

— Qu'est-ce que tu caches?

— Ça? Euh... ça, ce n'est rien... c'est... Tu es Henri, toi, *right*?

Je l'interroge du regard en fronçant les sourcils. Comment connaît-il mon prénom? Il semble plus vieux que moi. Que nous.

— Oui, c'est ça! Henri! M m'a parlé de toi.

— M? M comme dans James Bond? lui répond F.-X.

— M comme dans Marika. C'est comme ça que tout le monde l'appelle à l'école. Excuse-moi, tu ne me connais pas, je m'appelle Félix, qu'il me dit en me tendant la main.

Je regarde sa main avant de la serrer. Puis, ça me frappe, comme si, en touchant ma main, Félix venait de me révéler par télépathie que le soir, il se transformait en Batman! *M. Côté...* *Marika Côté.* Les lettres, c'était lui. Depuis le début! C'est ça qu'il cache dans son dos! C'est ce qu'il essayait de faire quand nous l'avons surpris: il tentait de coller une autre lettre sur la porte. Mais avec la pluie, il devait en être incapable. J'observe F.-X. qui n'a pas l'air d'allumer. Je lui donne un coup de coude.

— C'est pour ma sœur, la lettre que tu as dans ton dos?

F.-X. me regarde avec la face de quelqu'un qui vient de gagner le gros lot de la loterie. Ça y est, il vient de comprendre! Le grand Félix se passe la main dans les cheveux en fixant les yeux par terre.

— Ouais... ça t'embêterait de la lui donner? Je n'ose pas la déranger.

— OK. À une condition...

Il me regarde, curieux.

— La prochaine fois que tu auras envie de coller une lettre sur la porte de quelqu'un, inscris son nom clairement sur l'enveloppe!

Je lui arrache la lettre des mains, frustré et amusé en même temps. J'ouvre la porte de la maison et je laisse entrer mon ami avant moi. Je salue Félix en souriant, puis je l'abandonne sur le balcon. Une fois la porte refermée, F.-X. et moi rions de manière incontrôlable. Tout ça pour ça! Depuis des semaines qu'on se casse la tête à savoir qui peut bien m'envoyer des lettres d'amour anonymes, et pendant tout ce temps, elles ne m'étaient pas adressées!

Je cours jusque dans ma chambre et je saisis les trois autres lettres que je cachais dans mon tiroir à bas, y compris celle que j'avais chiffonnée et que j'essaie maintenant d'aplatir le mieux possible. Sans même cogner, j'entre dans la chambre de Marika. Ça produit le même effet qu'un éléphant qui sortirait d'un dé à coudre! Elle sursaute en me voyant. Elle est en pleine conversation téléphonique, couchée sur le ventre dans son lit défait.

— Qu'est-ce que tu fais, là, morveux? Sors de ma chambre!

Je lance les lettres sur son lit. Elle les regarde rapidement, ne comprend pas de quoi il peut bien s'agir.

— Attends-moi, Audrey... C'est quoi, ça?

— Tu diras à ton beau Félix qu'il a une écriture de fille, et que ça porte à confusion rare!

Elle est visiblement estomaquée. Elle ouvre la première enveloppe et se met à crier, comme si son idole était devant elle. Elle porte une main à sa bouche pendant qu'elle hurle dans le combiné du téléphone: «*Oh my God! Oh my God! Oh my God!*» Je sors de la chambre, satisfait de la réaction de ma grande sœur. Je sais très bien qu'il faudra que je lui explique tout plus tard, mais pour l'instant, je la laisse savourer son bonheur.

Je vais rejoindre F.-X., qui m'attend dans ma chambre. Il continue de rire sans s'arrêter, assis au pied de mon lit.

— Celle-là, elle est trop bonne! Attends que Bébitte entende ça! Il va se rouler par terre, c'est sûr!

Je me retiens pour ne pas l'appeler sur-le-champ. Nous sommes dimanche et je sais qu'il n'est pas chez lui. J'ai déjà hâte à demain pour tout lui raconter. Je crois que je vais également tout dire à Élodie. Elle va sûrement trouver ça drôle, elle aussi. J'imagine… je ne sais plus. Les chatouillements reviennent dans mon ventre quand je pense à elle. J'essaie de les chasser en cherchant *Metropolis* sur Internet pendant que F.-X. se gave à nouveau de jujubes.

Depuis hier soir, une drôle de sensation m'envahit. Je doute que ce soit juste le fait d'avoir 12 ans. On dirait que rien ne sera plus jamais comme avant. Ce n'est pas une mauvaise chose. C'est juste étrange. Je pense à Béatrice, à ses cheveux roux, à son visage angélique, à son rire parfait. Mais chaque fois que je m'imagine avec elle, c'est l'étreinte d'Élodie qui me revient en tête. Je peux même encore sentir l'odeur de ses cheveux dans mon cou.

— Yo, Henri, tu es dans la lune.

Je pèse sur le lecteur vidéo et j'active le mode plein écran. Le titre *Metropolis* apparaît au son d'une musique tonitruante. Dès les premiers mouvements de va-et-vient des machines, je sais que je vais aimer ce film-là. F.-X., lui, est déjà crampé de rire.

148

Une semaine a passé depuis mon anniversaire et l'impression que ma vie est plate est revenue. Pendant un mois, le mystère des lettres d'amour y avait mis un peu d'action. Maintenant que tout est résolu, les journées se déroulent avec ennui, dans la routine la plus totale. Je suis comme un surfeur qui essaie de faire de la planche dans une flaque d'eau.

Je serre le foulard autour de mon cou pendant que j'entre dans la cour d'école. Chaque jour, il fait de plus en plus froid. J'adore l'automne, les couleurs, les feuilles mortes, l'Halloween et tout ça, mais le froid, je m'en passerais. Ce qui me laisse croire que je viens sûrement d'un pays où il fait chaud. C'est un indice de plus que je mets dans ma banque imaginaire.

La journée est grise, sans éclat. Les arbres commencent à se dénuder et partout, le béton de la ville où j'habite reprend le monopole du paysage. Ici et là, sur les terrains, citrouilles et pierres tombales font leur apparition.

Léo et F.-X., qui font toujours partie du comité d'Halloween, semblent dire que ça va être une activité à ne pas manquer. La danse costumée a été annoncée pour le 30 au soir, qui tombe un vendredi cette année. C'est Léo et F.-X. qui sont responsables de la maison hantée. Je ne peux qu'imaginer les cris stridents des filles quand elles vont y entrer. Connaissant mes amis, je sais que leur création sera vraiment épeurante !

Je vais rejoindre Léo et F.-X., assis sur le bord du mur est de l'école.

J'ai pu partir plus tard ce matin, parce que mon père est venu me reconduire en chemin vers son rendez-vous avec un éditeur. Il était tellement nerveux. Je lui ai dit de ne pas s'en faire, que j'avais confiance en lui. Ça l'a rassuré un peu, même si au fond de moi, je ne comprends pas qui peut bien vouloir publier ses poèmes étranges. Ma mère dirait sûrement quelque chose comme : «Ça prend toutes sortes de monde pour faire un gâteau!» Je ne saurais pas ce qu'elle voudrait dire par là, mais ça nous ferait certainement rire, Marika, «le miracle» et moi.

J'arrive à la hauteur de mes amis et on effectue notre poignée de main habituelle : poing dessus, poing dessous, pif, paf et explosion! F.-X. retourne rapidement à son jeu vidéo portatif. En théorie, il ne devrait pas l'apporter à l'école. Mais comme on ne lui a jamais rien dit, il continue. Léo regarde au loin en frissonnant. Malgré son manteau mauve et sa tuque orange par-dessus son énorme chevelure, redevenue noire, il a l'air frigorifié. Je m'assois en Indien à côté de lui, les mains dans les poches de ma veste pour les réchauffer. On dirait qu'il fait plus froid par terre.

— As-tu vu? qu'il me demande en me pointant de la tête un petit groupe d'élèves, un peu plus loin.

Je regarde, sans trop porter attention, et je comprends subitement à quoi il fait référence. Béatrice, ma belle Béatrice, avec ses cheveux de feu dans le vent, sa longue veste brune...

main dans la main avec Nabil. Le ciel me tombe sur la tête. C'est du moins l'impression que j'ai, pendant un instant. J'ai toujours su que ce gars-là avait le dessus sur moi, mais jamais je n'aurais pensé qu'il irait jusqu'à me voler la fille de mes rêves. Je me sens bizarre, tout à coup. Je refuse de montrer que ça me fait quelque chose. Je hausse les épaules.

— N'importe quoi! Avec Nabil... franchement!

— Ça va leur faire des drôles d'enfants, réplique F.-X. sans lever les yeux de son jeu.

Nous éclatons de rire. C'est ma faute, après tout. Depuis ma fête, je n'ai pas réadressé la parole à Béatrice. J'étais trop gêné et depuis que je savais qu'elle n'était pas mon admiratrice secrète, je n'osais plus croire en mes chances. Elle a donc dû se désintéresser de ma bizarrerie au profit de celle de Nabil.

J'évite Élodie aussi. À peine une semaine s'est écoulée depuis mon *party* de fête, mais j'ai l'impression que je ne lui ai pas parlé depuis une éternité. Elle et Béa sont inséparables maintenant. C'est correct, c'est normal. C'est ce que je continue de me répéter. Léo, lui, est beaucoup plus triste que moi. «On s'amuse bien avec Élo! Je ne sais pas ce qui lui prend de se prendre pour une fille tout d'un coup!» F.-X. préfère ne plus rien répliquer, maintenant. Il se contente de lever les yeux au ciel. Après tout, nous aurions dû comprendre bien avant qu'Élodie *est* une fille, avec ses robes, ses accoutrements et ses manies. Tous les signes étaient là. Nous ne voulions tout simplement pas y croire.

— *Dude...*

Léo me donne un coup de coude.

— Ouch! Qu'est-ce que tu fais là?

Il ne dit rien. Il fait juste pointer à l'horizon, la bouche béante, les yeux sortis de leurs orbites. F.-X. lève la tête, lui aussi. Je ne vois rien de spécial... Et puis paf! Je la reconnais. Elle s'est fait couper les cheveux aux épaules et les a peignés de sorte qu'une petite frange lui tombe sur le côté du visage. Elle porte de lunettes discrètes, normales, grises. Pas de robe colorée. Pas de ruban assorti dans ses cheveux. Pas de souliers de ballerine. Juste un jean parfaitement ajusté, presque trop petit pour elle, un gilet noir et des souliers en toile noire. On dirait une actrice, une fille qu'on voit dans les magazines. Elle ne ressemble en rien à l'Élodie qu'on connaît.

Elle entre dans la cour d'école, comme si celle-ci lui appartenait. Nous la regardons s'avancer vers Béatrice qui lui adresse de grands signes de la main. Je n'arrive pas à croire ce que je vois. F.-X. laisse tomber sa mini-console par terre, Léo s'accroche à ma veste de toutes ses forces. Je ne respire plus. Élodie passe devant Béatrice pour s'arrêter devant Henri O'Neill. Il lui prend les mains en souriant. Elle se met sur la pointe des pieds et… paf! Elle l'embrasse.

Mon cœur cesse de battre.

La cloche sonne.

154

À suivre...

PATRICK ISABELLE

HENRI & CIE

1. Opération Béatrice

2. Mission Bébitte (printemps 2017)

MARQUIS

Québec, Canada

Achevé d'imprimer le 23 juin 2016

Imprimé sur du Rolland Enviro,
contenant 100% de fibres postconsommation,
fabriqué à partir d'énergie biogaz et certifié FSC®,
ÉCOLOGO, Procédé sans chlore et Garant des forêts intactes.

PERMANENT

100%

Garant
des forêts
intactes^{MC}